De maand van Marie

Luuk Gruwez
De maand van Marie

Vier vrouwen

Uitgeverij De Arbeiderspers
Amsterdam · Antwerpen

De stof voor deze vier vrouwenportretten is volledig fictief. Elke overeenkomst met bestaande personen en/of gebeurtenissen in de werkelijkheid berust op louter toeval.

De auteur dankt het Vlaams en Nederlands Fonds voor de Letteren voor hun steun, dankzij welke dit boek mede tot stand is gekomen.

Omslagontwerp: Nico Richter
Omslagfoto: Stephan Vanfleteren

ISBN 90 295 2227 5 / NUGI 300
www.boekboek.nl

Inhoud

Fijne koppen

‘De liefde is geen mande. Ge zet ze niet nere waar dat ge wilt.’ ’t Is enen die ’k goed gekend heb die dat zei. En nen anderen zei: ‘Eerst kieperen z’ al de stront van de wereld uit over mijnen kop. En dan verwachten ze nog da ’k proper blijve.’ Om maar te zeggen: ’t was hier niet proper, neen. Ook in de liefde niet.

D’r kwamen hier geen fijne koppen uit, uit de Ligy-wijk. D’r waren in Ieper côtés met meer sooien. Ze kwamen hier allemale aan de kost, dat wel. Den enen was seizoenarbeider of bietenkapper, bij de Fransmans, hier vlak over de schreve. Nen anderen vergaarde koper en oud ijzer uit den Groten Oorloge. En nog nen anderen kweekte konijnen om een goed mondje te hebben. D’ailleurs: zelve kweekten z’ ook lijk konijnen. Dat deden z’ allemale in de cité.

Grote ménages – dat was ik niet gewend, want ik was enig kind. Mijne pa, die heeft er geen tweede kunnen maken. Iets aan zijne lever en ’t was ’t ermee gepasseerd. ’k Was nog geen jaar. Mijn ma? Ja, mijn ma! Twintig jaar lang heeft die niets anders willen dragen dan zwart. En dan is ze vertrokken. Ook veel te vroeg. 'Marietje, 'k ga nu naar uwen pa.' Dat was van 't laatste wat ze tegen mij zei. De doktoors hebben nooit geweten wat haar mankeerde. Twintig jaar heeft ze haren laatsten asem uitgeblazen en op 't einde bloosde ze gelijk een krieke. Lijk dat ze twintig jaar gelopen had om eindelijk bij mijne pa te zijn. Lijk dat dat gezond was, doodgaan.

In 't seizoen deed iedereen den hommelpluk, allez den 'hoppepluk', voor de slechte verstaanders. En ik deed mee. En blauwen – smokkelen – dat ze deden! Ah ja, zo vlak bij de schreve, natuurlijk dat. En ook daar deed ik aan mee. 't Waren echte mensen, één voor één: Jantje Patat, Line Slekke, Kinne, Rebbe, De Friete, Kozen en Knuiste.

's Avonds, in de zomer – dat bestond dan nog, de zomer – dan zaten w' onder de lindebomen. Babbelen en babbelen, den enen al nen groteren bek dan den anderen. 'k Was een jong ding. 'k Wete niet meer precies hoe jong, maar in elk geval nog jong genoeg om de jonkmans ne keer goed rond mijne vinger te draaien. Maar 'k hebbe daar nooit van geprofiteerd, van mijn schoon ogen en van mijn krullen. Allez, toch niet te dikwijls.

En ondertussen zijn die lindebomen allemale gekapt. En ondertussen is Marietje hier drieënnegentig geworden en dat kan tellen. 't Hangt er nog allemale aan, aan mijn lijf. 't Is maar met mijn oren dat 't slecht gesteld is.

D'r kwamen hier geen fijne koppen uit, maar ze hadden tenminste poten aan hun lijf en ze konden lachen om een schete. In dien tijd moesten we zelv' onzen televisie maken en onzen jukebox en ons farcen.

D'r kwamen hier geen fijne koppen uit. Pertanks, als 't moest, dan was 't heel de wijk tegen de reste van de wereld. Lijk later, in den anderen oorloge: den Duits kwam hier niet gemakkelijk in, den Duits die zat met de poepers. Die wist: dat volkske van Ligy, halve gangsters zijn 't. Als ge d'r enen tegen zijn karre rijdt, dan krijgt ge heel de wijk op uw dak. En dat was waar: in 't begin was er hier zelfs een barriere. Die deden ze niet open voor den eersten den besten. Ze hadden ons hier neregeplant en 't was van ons.

't Is zo gegaan: achter de Groten Oorloge werd dat volkske van ons eerst in de kazerne gestoken, en daarna in barakken, waar nu onzen cité ligt. Ze hebben d'r hier later nen helen chiquen wijk van gemaakt, met 'sociale woningen', lijk dat ze dat noemen: van d' allereerste. Tot '49, weet ik nog, was 't 75 frank om hier iets te pachten. Per maand hé! En sommigen konden dat niet eens betalen. Sukkelaars, dat waren we. En toch: geen spaarders hé. Sparen, zei d'r iemand, sparen als ge 't hebt en sparen als ge 't niet hebt, dat is alzo altijd sparen. We lieten rollen wat we hadden. D'r rolde misschien niet zo vele, maar 't rolde schone, wreed schone. En later hebben onze kinders en ons kinders' kinders hier toch nog alles kunnen opkopen. Met 'onze' kinders bedoel ik die van de wijk. Zelve heb ik nooit kinders gehad. En ook gene vent.

't Was, d'ailleurs, niet allene den Duits die met de poepers zat. Ook de meiskes van elders gingen een stapke rapper als ze hier moesten passeren. 't Had hier een slechte reputatie. En in 't stemkot: allemale socialisten.

Ge moest maar ne keer proberen om, als ge niet van de wijk waart, te trouwen met een van ons en op de koop toe peinzen dat dat genoeg was om hier te mogen wonen! Nóndepietjes, dat ging zomaar niet van een-twee-drie. 't Was lijk dat nen koekoek hier zijn ei wilde komen leggen. We hadden ons eigen eiers. Ge ziet dat van hier dat wij d'eiers van nen ander gingen uitbroeden. Dat deed nen anderen ook niet voor ons.

De venten waren allemale grote zuipers. En grote zuipers kunnen geen fijne koppen zijn. D'r was er één – 'k ga zijne name niet noemen: d'r stond geen deure in zijn huis of hij had er wel ne keer zijn kapmes in geplant. Van colère natuurlijk omdat zijn vrouwe niet wilde of iederen dag haar regels had, van den eersten januari tot den eenendertigsten december, als ie met zijn zatte botten naar huis kwam. En hij kwam met zijn zatte botten naar huis, van den eersten januari tot den eenendertigsten december. Echte egoïsten, die venten, maar – allez – de vrouwen waren dat gewone, ze wisten van niet beter en dan doet dat minder zeer. 'Nen hond die te brave is, die schieten ze dood.' Dat zeiden ze.

Maar ze vergaten dat ze niet met nen hond waren getrouwd, al scheelde 't niet altijd vele.

't Was in '29. 'k Ga 't nooit vergeten. 't Was ene keer per jaar kermis in Ligy en dat duurde dan drie volle dagen. We gingen bijkans niet slapen. 't Bier stroomde lijk den Waterval van Coo. 'k Was daar ook niet vies van, bah neen ik. D'r stond een kraam met smoutebollen. En in 't midden van 't plein, hier een paar straten verder, werd er geschoten op de staande wippe. Den eersten dag al, 'k zal 't nooit vergeten, ging d'r nen groten ballon de lucht in, nen heten luchtballon dus met drie of vier manspersonen in de mande.

't Was in den tijd da 'k goeie maten was met Perluut en met Pietje Pinte en met nog een paar, waarvan da 'k de name nu vergeten benne. 'k Stond daar te gapen en te gapen. Naar de lucht natuurlijk, met dienen schonen ballon. Mijn ogen traanden van de zonne. Al met ne keer kneep er enen in mijn billen: Perluut! Die was niet getrouwd geraakt en peinsde dus dat hij geen permissie nodig had om met zijn handen te doen wat ie toch niet kon laten. Om nog maar te zwijgen van de reste. Wie niet van de kanten van Ieper is, weet niet wat dat is: nen perluut. Een leutemakerke, tiens! Iets dat meer dient voor 't zaaien dan voor 't sproeien. 't Was zijnen bijname en hij had hem niet gestolen. 'k Kan niet zeggen dat 't mij geen plezier deed, maar 'k gaf hem toch nen serieuzen patat. Perluut, dat was mijnen genre niet. Want had ik honderd ogen gehad, dan nog was 't niet genoeg geweest om te kijken naar dienen enen die daar in den ballon zat en die van mij wegvloog, hoger en hoger de lucht in.

't Was Pietje Pinte. Ook een pietje, en misschien wel nen filou, maar in mijn ogen toch nen prins. Prinsen doen niet liever dan wegvliegen. 't Had geld gekost natuurlijk, zo nen luchtballon, dat weet een klein kind. En sommigen vonden: té veel geld. Ze gooien hier, milledzju, al ons sooien in ene keer in de lucht.

Pietje Pinte: hele boeken zou 'k over hem kunnen schrijven. Hij kwam aan de kost met 't ramasseren van slonzen, oud ijzer en konijnenvellen, in heel de streke. Hij had een karre en een soorte Duitse schepers om ze voort te trekken. Daar liep die dan achter, achter die karre die omhoge stak tot bijkans boven zijne kop. Hij was niet groot, Pietje Pinte. Maar konde hem niet goed zien, ge kon hem des te beter van verre horen aankomen. Heel den tijd zong ie. 'Plaisir d'amour' en zulke dingen. Zolange dat Pietje Pinte geleefd heeft – of toch bijkans – zolange heeft ie gezongen. Van Poperinge tot Ieper: iedereen kende hem. En als ie ne keer te vele gedronken had – dat was nen défaut van hem, al geef ik dat niet gaarne toe – dan ging die in zijn karre liggen en dan brachten zijn honden hem thuis.

Maar als ie niet té straf in de patatten was, dan stopte hij hier bij de beke. Al 't kleingeld dat ie gewonnen had, dat gooide hij op 't veld daarnevens. Voor de kleine gasten. 'Kleingeld, ah wel ja, dat is voor de kleine gasten.'

Dat zei die. Als 't er iets was waar dat Pietje nen echten degout van had, dan was 't wel kleingeld. Want Pietje zag altijd alles in 't groot! Maar 't was misschiens den enigen vent in heel den Ligywijk die alles aan zijn honden te danken had en d'r zelve genen was.

Hij had den malheur dat ie op zijn negentiende al getrouwd was met zijn Brievenbusse. En Brievenbusse, die wist dat ook wel wat dat was: een leutemakerke. Als 't er, godverdomme, één wist dat dat meer voor 't zaaien dan voor 't sproeien was, dan was 't wel Brievenbusse. D'ailleurs, haren bijname: daar moet ik geen tekeninkske bij maken. Waarvan dat dat mens leefde? Van haren vent zeker? En van de brieven. Van de in- en uitgaande post. Ze had zij wreed veel post, want 't was een schoontje, met lang zwart haar en ogen lijk marbels. En altijd iets te straf gedecolleteerd. Ze was wel een zondeke waard. Maar 't was een ongelofelijke seute. En geniepig! Tussen ons gezegd en gezwegen: 'k had meer dan ne keer echt goestinge om met nen gloeiende koterhaak die gloeiende marbels uit haar oogkassen te branden. Totdat den damp eruit kwam, uit haar ogen. En 't mochte zelfs stinken van hier tot in Poperinge: dat kon mij nu ne keer niets schelen, rien de knots. Z' had maar niet zo lelijk in mijn rapen moeten schijten.

'k Moet zien da 'k mij niet te veel opwinde, want ze zeggen dat 't niet goed voor 't herte is. Ne goeien dreupel – dat is goed voor 't herte. Maar 't deugt dan were niet voor mijne lever. En 'k wete niet goed wat kiezen:

mijn herte of mijne lever.

't Is gebeurd, den dag achter dienen heten luchtballon. Ik heb 't nooit aan iemand verteld. Echt aan niemand. 't Was nog altijd kermisse, den derden dag, en 't bier stroomde nog lijk in 't begin. Nog altijd Waterval van Coo.

In Pietje Pinte zijnen hof stond er een kot van een paar planken waarin ook zijn karre stond. En in den hoek lagen al zijn konijnenvellen, grijze, bruine, zwarte en witte: alles dooreen. 't Was volle mane, niets aan te doen, en een van zijn honden blafte: 'Waf waf wafwaf wafwaf.'

Maar de konijnenvellen waren zachte. Wreed, wreed zachte.

Maar die Brievenbusse, verdomme! Bij haarzelve mocht al 't mansvolk van de wereld in haar deurengat staan, Perluut voorop. Maar dat Pietje, hare vent, dat Pietje ne keer... éne keer... ze kon dat niet verkroppen, hé! Als Pietje niet van haar was, dan was al 't mansvolk van de wereld ook niet meer genoeg. En Pietje was gaarne gezien. 't Liefste van al 't mansvolk. Dat maakte 't nog erger.

D'r zat geen prut in zijn ogen, toch niet als ie nuchter was. Ze verzwegen hem dan wel wat dat ze hem konden verzwijgen, maar Pietje wist evenvele als dat ze hem verzwegen. En hij zweeg ook: 't bleef per slot in de wijk en de wijk was de familie. Misschiens zag die ook zelve wel dat ie d'r nen goeien aan had en dat er twee keers in de weke vlees op zijn tellore kwam. En geen konijnenvlees.

Maar ene keer zei die ook: 'Eerst kieperen z' al de stront van de wereld uit over mijnen kop. En dan verwachten ze nog da 'k proper blijve.' Hij was niet altijd fijn van tale, mijnen prins, maar pertanks, hij kon het goed zeggen, 't was eigenlijk ne verstandigen gast, gene fijne kop, maar ne verstandigen gast. En nen plezanten: dat vooral.

'k Heb altemets konijnen gestreeld, en dat was zachte. Maar nooit heb ik iets zachters gekend dan de konijnenvellen die door Pietje Pinte waren geramasseerd. En dan zijn handen. 't Is raar voor zo ne kleine vent, maar hij had lang' handen, lang' handen en schoon handen. Lijk van nen pianist. Lijk dat ze nooit in 't oud ijzer hadden gewroet. En hij verzorgde ze. Hij had zo'n regenpompe tegen zijnen achtergevel. Niemand stond zo dikwijls met zijn handen onder de krane. 'k Vroeg het hem nog, dienen nacht: 'Waarom? Ge hebt ze toch al drie keers gewassen?' Dan zei ie: 'Patiëntie.' Hij lachte zo ne keer raar.

Zijn handen waren even zachte als zijn konijnenvellen. En dan die volle mane: die zat er ook voor iets tussen. In de verte was er al wat volk dat van de kermisse kwam afgezakt met smerige liedjes. Zodat w' ons moesten haasten. En dienen enen nacht, den enigste keer, den eersten en den laatsten keer, hebben w' ons niet genoeg gehaast.

Later heb ik zelv' ook konijnen gekweekt, maar niet lange: mijn herte deed zeer als 'k er een moeste slachten. 't Was wel mijn eigen schuld. 'k Hadde d'r niet beter op gevonden dan z' een voor een nen name te geven: Knuiste, Line Slekke, Rebbe... En den grootsten dekker natuurlijk Perluut. Een wreed komiek konijn. Met een soorte wipneuze. 'k Moest altijd lachen als ik hem zag. Dan moest ik peinzen: 't wipt allemale aan Perluut, zelfs zijn neuze. En 'k peinsde ook weer aan vroeger.

't Waren meestal van die bruine en van die grijze konijnen, soms moeilijk uiteen te houden. Maar 'k hadde d'r ook enen zitten: nen wreed schone witten met wreed schone rooi oogskes: Pietje. En één pekzwart: Brievenbusse. Dat ging er vaneigens 't eerst aan. Zonder compassie. Maar dienen witten, dien is vanzelve gecrepeerd. En pertanks, ik had hem goed gesoigneerd, beter dan al d' andere. Drie dagen heb ik met nen neusdoek rondgelopen. Voor zo'n stom, wit konijn, hoe is 't in godsnaam mogelijk? Mijn tranen stroomden lijk den Waterval van Coo.

Dat Brievenbusse, zó'n boemelkonte, zó vroeg naar huis ging komen, met naar 't schijnt aan iederen arm nen zatlap en nen oppergaai in haren decolleté – wie had dat kunnen peinzen? Ze had die venten van haar afgeschud en was naar binnen gestapt. En dan: iets raars gehoord zekers, in 't kot in haren hof. Ze stond zij daar pardoes voor ons, met haar handen in haar lenden.

Nog altijd zie 'k die gloeiende marbels. En Pietje zijn schoonste broek en mijne schoonste rok in een hoopken boven de konijnenvellen. En Pietje zijnen eigen oppergaai: ah ja! 'k Heb in de rapte mijne rok gepakt en 'k ben het daar afgetrapt. Op mijn blote voeten. Al gooide ze mijn schoenen nog naar mijne kop. 't Was natuurlijk serieus ambras. Ge kon z' horen tuiten en tieren tot buiten de Ligywijk.

't Is nooit meer iets geweest na dienen nacht.

De dagen die volgden waren de dagen die volgden. Dat is gelijk den oorloge: is 't niet van daarvoor, 't is van daarachter. Hij paradeerde dan wel een paar keers voor mijn huis, binst da 'k – zogezegd per accident – voor mijn venster stonde. En meestal zag ie d'r toch maar sukkelachtig uit, goed voor 't oud ijzer. Dan peinsde ik: allez, 't heeft hem toch íets gedaan, 't dutske!

Maar ene keer heb ik hem nog zien lachen, zo raar, zo verschrikkelijk raar. 'k Kan dat met geen woorden beschrijven. Dan keek ie dwars door 't vensterglas, recht in mijn ogen: vlám. En ik hoorde allene maar: 'Waf waf wafwaf wafwaf'. 't Is diene keer dat ie zijn schoon lang handen rechte voor hem uitstak. Niet om mij zeer te doen – Pietje deed niemand zeer – maar 'k voelde 't toch aan mijn herte. In mijn herte was 't Veertien-Achttiene. Heel mijn lijf daverde d'rvan.

Mei is mijnen maand, de Mariamaand, de maand van Marie. En hoeveel meimaanden zijn d'r al niet gepasseerd? En hoeveel keers is 't mei geweest zonder da' k daarbij was. Veel te vele, naar mijn goestinge. 't Is nu were mei en we zitten van de jare al aan de tweeduizend. En meer! Want die van voor Christus tellen ook mee. En 't naaste jare zal 't were mei zijn en 't zal – als ge 't mij vraagt – nog dikwijls genoeg mei zijn, in die miljoenen en miljoenen jaren da 'k er niet meer benne.

Op nen schonen dag in mei – 't moet zijn gebeurd binst da 'k natuurlijk weer aan mijn soepe bezig was – op nen schonen dag heeft Pietje Pinte iets gekregen. Ze zeggen: iets aan zijn herte of iets in zijnen kop. Nen ader die ontploft is. Maar ik gelove, nee, ik hope eigenlijk dat 't van zijne lever was. De lever was de tere plekke van heel de Ligywijk. 't Is pertanks van 't schoonste dat er in ons zit. Ne goeie lever, dat leeft en dat doet leven.

De lever, dien is gemaakt voor 't plezier. En 't herte – wie weet er dat beter dan ik? – 't herte dient voor 't verdriet. Hoe sterker 't herte, hoe langer 't verdriet. Want ze zijn niet allemale lijk mijn moeder. D'r zijn er ook die rapper doodgaan van 't plezier dan van 't verdriet. 'k Hope dat 't van de lever is dat ie dood is gegaan, Pietje, maar op sommige dagen twijfel ik daaraan. Zo triestig dat ie d'r op 't eind uitzag! En hij zong ook geen vooizekes meer.

'k Ben altijd blijven hopen dat 't met tijd en boterham wel over zou gaan, maar 'k hebbe nooit meer naar nen anderen vent gekeken. Allez, gekeken nog wel, want vele jaren later passeerde d'r hier soms ne chique menere, enen van den hogere côté. En den hogere côté, dat was wel mijnen tand. Misschiens dat ie chance had dat ik niet een scheetje jonger was. Maar 'k ben aan 't zwanzen; 't was zelfs dan allene maar Pietje die telde. De krulle was uit mijnen kop en 't mansvolk zag mij ook al minder staan dan vroeger. Maar in mijn herte bleef 't oorloge.

't Is niet den oorloge in mijn herte die 'k heb willen overleven, maar Brievenbusse – zolange mogelijk, al moest ik daar tweehonderd jaar voor worden of nog ouder. En 'k ben van plan tweehonderd jaar te worden. 't Is da 'k niet wille doodgaan binst dat er nog zovele op mijne lever ligt. 'k Kan 't nog altijd niet verkroppen dat z' in één graf ligt met hem. Als ik nog nooit chrysanten op zijne steen hebbe gezet, dan is 't – miljaar de nondezju – omdat ik niet zou willen dat ze d'r ook van profiteert.

't Is dus met veel plezier dat ik, Marietje, mij rappelere hoe dat zij, Brievenbusse, haren laatsten asem heeft uitgeblazen. Haren laatsten asem stonk. Ze mogen dat weten tot in Gent of in Brussel. 't Is tijd dat heel de wereld het weet. Voor 't geval da 'k toch geen tweehonderd worde.

Ze was zij zot van verdriet, echt puitonnozel van verdriet. En dat voor iemand die haren vent zo dikwijls horens had gezet! 'k Was daar geweldig nijdig op. 't Was precies lijk dat haar verdriet veel schoner en veel chiquer was dan 't mijne. En haar verdriet – dat mochte geweten zijn. 't Mijne niet. En dan al besefte ik wa 'k nu nog beseffe: verdriet dat niet verteld wordt, dat bestaat eigenlijk niet. Ge moet daar een beetje lawijt bij maken, bij verdriet.

D'r lagen in den tijd nogal veel waterputten in de wijk. Ze hebben die, stom als de mensen zijn, intussen allemale toegesmeten. 'k Meen ook te weten waarom.

Den avond na Pietjes begravinge is z' in een van die putten gedoken. Maar – en dat is 't toppunt – met de voeten vooruit, alstublieft, de dommekonte! Heel toevallig was ik d' eerste om daarop uit te komen. 'k Was juist op weg naar Line Slekke en 'k hoorde iemand roepen en 'k wist het subiet: zulk een sirene, dat kan allene maar van Brievenbusse zijn. Ah ja! 'k Rappelleerde mij dat nog van dienen fameuzen kermisnacht. Nog altijd peins ik dat 't sedert dienen nacht is dat 't verkeerd beginnen gaan is met mijn oren.

Enfin, 'k kijke over de rand van dienen put en, 'k zou liegen als 't niet waar is, 'k zie ze daar staan, met 't water nauwelijks tot aan haar buste. Precies een communicantje, want ze had een wit blouseken aan met frullekes. 'Wel wel wel,' zeg ik, ''t is proper. Ge hebt ze gij zeker niet alle vijve! Ge moet gij echt van een paard gegeten hebben dat g' hier uw bad komt pakken. Eerst den kop, meiske, zo doen ze dat!'

'k Heb heel den wijk bijeengetierd, want 'k wilde dat iedereen dat zag, zoiets onnozels. Zelve heb ik genen poot naar haar willen uitsteken. Met ne man of drie hebben z' haar daaruit getrokken. Zeiknat, en stinken lijk veertig, maar spijtig genoeg zo gezond lijk nen bliek.

Twee dagen later was 't dan toch prijs. Den kop voorop: lijk ik 't haar zo properkes had uitgelegd. En met de paster spraken z' af dat 't een accidentje was. Anders kreeg ze genen dienst. D'r was veel volk op haar begravinge. Maar ikke? Ge ziet dat van hier. 'k Moeste soepe koken.

't Is hier allemale gebeurd, in dezen wijk. En niemand maakt mij wijs dat er daar echt zoveel verschil tussen is, tussen dezen wijk en heel de wereld. Later is 't nooit meer 'tzelfde geweest: zovele dat er intussen veranderd is! Hier en daar woont er nu zelfs ne fijne kop. De levers zijn vele verbeterd en 't plezier is serieus verminderd. En wie ramasseert er nog konijnenvellen of oud ijzer?

Maar de mane is nog dezelfde. Als ze vol is, dan is ze vol. Dan kan ik niet slapen en dan kijk ik door mijn venster. Als 't nen schonen zomernacht is, lijk dat ze d'r tegenwoordig niet vele meer maken, dan zitten d'r sterren uit en stillekes zeg ik dan: Jantje Patat, Line Slekke, Kinne, Rebbe, Knuiste. Allemale dood. Meestal van te leven. Zelfs Perluut is ondertussen foutu. Niet van 't herte en ook niet van zijne lever.

En ik – op zo nen schonen zomernacht – als ik soms kijke naar 't grootste licht van al, dat licht dat brandt lijk een enorme lampe, dan is 't niet Janneke Mane die 'k zie, en mijn ogen zijn pertanks nog goed. 't Is Pietje Pinte. In zijnen magnifieken ballon, die daar voorgoed blijft hangen. Allene maar voor mij. Al zijn kleingeld strooit hij over mij uit en hij vliegt nooit meer van mij weg. 't Is genoeg da 'k mij nog één elixireken ingiete, één elixireke te vele misschiens, en 'k hore hem al zingen van 'Plaisir d'amour'. 'k Zette 't venster wagenwijd open en 'k zinge mee. En 't kan mij niet schelen dat 't zo vals is lijk een katte. Als 't maar klinkt tot aan den hemel. En 't kan mij niet schelen dat de geburen misschiens peinzen: daar is ze were, Marie, die zottekonte. Hij is van mij en van niemand anders. 't Is dan eindelijk gedaan met: 'Waf waf wafwaf wafwaf.' De mane blaft niet, de mane zingt. De mane is heeltegans bedekt met witte konijnenvellen. En op de schoonste van al die witte konijnenvellen liggen wij eindelijk nog ne keer t' hope, Pietje Pinte en ik. En heel de wereld mag ons horen. En heel de wereld móet ons horen.

De Madonna met de Blote Konte

't Is maar 't geld dat hier telt! God en den Bank van Roeselare en West-Vlaanderen – als daar al veel verschil tussen is – die kunnen 't weten. En 'k vraag mij de laatsten tijd hoe langer hoe meer af of ze geen gelijk hebben. 't Is maar 't geld dat telt, maar geld dat kúnt ge tenminste tellen. Peinzen dat g' een schone schilderij gemaakt hebt of geluk met 't lief: dat is al veel moeilijker, begint dat maar ne keer te tellen. 't Is overal 'tzelfde, de laatsten tijd: de mensen geloven u niet als d'r iets niet geteld is. Ge moet het zwart op wit kunnen bewijzen. Daar dient geld voor, peins ik, om zwart op wit te bewijzen dat het u gelukt is en dat ge al subiet dood moogt gaan, nu, stante pede, als ge daar tenminste goesting in hebt, ah ja, want waarom zoudt ge d'r nog twintig jaar bij doen als ge nu al gearriveerd zijt en als God en den Bank van Roeselare en West-Vlaanderen toch al vinden dat ge niet voor niets geleefd hebt, want dat er een hele rij nullen achter uw geluk en op uw bankrekeninge staan, al is 't niet helegans zeker waarvoor dat die daar staan, die nullen: om u te zeggen wat dat ge hebt of om u te zeggen wat dat ge zijt.

Heel de stad wist er destijds van, maar natuurlijk dat! Heel dat godzalig en godlievend Roeselare, dat zo schoon is dat het geen enkele sterre krijgt in de groene *Michelin*. 'k Hebbe soms, echt waar, den indruk dat ze 't nu nog weten. 'k Benne d'r zelfs zeker van. Alhoewel: d'r zijn al veel jonge gasten die d'r niet meer van kunnen meeklappen, daar in The Wearhouse of in De Vagant of in De Cirque. Gasten die dat ook niet zouden willen als ze 't zouden kunnen. Dat is iets van den ouden tijd, zeggen ze, en den ouden tijd, ze blazen daar warm noch koud van. Den ouden tijd is voor de pépés en de mémés en daarmee basta en patati en patata. Ze hebben hunnen eigen tijd en dat is natuurlijk heel wat anders, al staan ze daar niet bij stille. En als 't al ne keer oorlog is, dan vallen de bommen tegenwoordig elders. Of ze vallen op den televisie of in de cinema. 't Meeste van 't leven gebeurt tegenwoordig in de cinema of op hunne pc, op hunne gsm of op hun playstations: nog zoiets. 't Is maar als ze moeten gaan pissen dat 't zonder machine is. En ja, 't is waar dat het dikwijls veel beter is als ge maar twintig zijt, tegen wie zegt ge 't, maar ge moet wel eerst vijfenzestig zijn, lijk ik, eer dat ge dat te weten komt.

'k Wille maar zeggen: 'k was, geloof ik, in mijnen tijd, vanaf mijn twee-, drieëntwintigste, d'eerste van heel de streke die dat niet onder stoelen of banken stak dat ze veel meer voor de meiskes dan voor de jongens was. Ik kon d'ailleurs niet anders. 'k Had altijd al gevoeld da 'k zogezegd van de verkante keer was. Al van vroeger, van diene schone zondag in juni da 'k in de straten van Roeselare nog als een engelke mochte lopen te paraderen in de Heilige-Hartprocessie en d'r nevenst mij nog zo eentje lijk ik liep, eentje met twee blonde vlechtjes en een auraatje van karton en zilverpapier. Hoe oud waren we daar? Een jaar of elve, peins ik. Generaal Maczec – Maczec, 'k wete nog goed dat mijn moeder daar zot van was – Maczec had met zijn Eerste Poolse Pantserdivisie nog maar een paar jaar daarvoren Roeselare bevrijd en 't was ook nog niet wreed lange geleden dat ze de zwarten in 't kleinseminarie opgesloten hadden lijk parkieten in een volière, behalve dat zij nu eindelijk minder noten op hunne zang hadden, de zwarten, bedoel ik. En ook weet ik nog goed dat w' op het punt stonden naar de grote schole te gaan. En dat w' eigenlijk niets liever wilden omdat we d'r zeker van waren dat de grote schole betekende dat we dan ook groot waren en dat we dan voor de reste van ons leven groot mochten zijn en mochten doen wat dat we wilden. Maar intussen – we zaten nog in 't koor van de kleine schole – liepen w' in de processie Marialiedjes te zingen: 'Lieve Vrouwe van ons land' en 'Liefde gaf u duizend namen' en 'Lieve Vrouwke van de Linden'. Nu nog, achter meer dan een halv' eeuwe kennekik dat nog allemale:

O, Maria, die daar staat,
Gij zijt goed en ik ben kwaad.
Wilt gij mijn arme ziele gedenken?
'k Zal u een Ave Maria schenken.
Ave! Ave Mari-i-ja!

Ze heette Martje, 't schoonste engelke van de processie. 's Nachts kon ik daar dikwijls over fantaseren. Martha en Maria, dat waren twee gezusters in den bijbel, dat wist ik van op schole. Dus Martje en ik: wij pasten 't hope. Maar mijn vader had mij ook verteld van de maya-indianen en 't was ook waar dat ik den indiaan van Roeselare was, indiaan tussen al die cowboys, ene niet gelijk d' anderen. Nen flapuit. Én nen dromer ook! Waar da 'k al niet van droomde! Dat we in de boskes, aan de rand van de Ronde Kom, daar waar nu 't Moederhuis ligt, vuile spellekes speelden en wreed moesten oppassen dat z' ons daar niet betrapten, ook al zaten w' in de struiken. Allez, vuile spellekes, 't kwam d'r op nere da 'k haar een tootje gaf en dat w' ons hemdeken uitspeelden omdat wij nu ne keer oprecht curieus waren om mekaars beginnende tetjes te zien. 't Was echt iets onschuldigs, iets waarmee w' in elk geval 't Moederhuis niet riskeerden. En 't gebeurde d'ailleurs allene maar in mijn fantasie. 'k Heb Martje in de realiteit namelijk al rap uit 't oog verloren, want zij ging uiteindelijk naar Barnum, een chique schole, en ik moeste naar de Burgersschole en ge weet hoe dat gaat: ge krijgt dan nieuwe kameraadjes.

Wat er later van Martje geworden is? 'k Zou 't echt niet weten. Amerika, schijnt het. Maar 't kan ook zijn dat ze dood is. Nog heel dikwijls peins ik aan haar, de laatsten tijd were meer dan ooit. Ze was mijn eerste lief. 't Eerste lief, dat is het lief dat ge nooit gehad hebt, 't lief dat dus blijft spoken, 't lief dat dikwijls zelve nooit geweten heeft dat z' een lief was. 't Is triestig dat niet te weten. Ze moeten waarschijnlijk bestaan: mensen die nooit in 't echt een lief hebben gehad en die toch van iemand d' enige liefde zijn geweest. Daarom, verdomme, we moeten klappen. En niet zomaar klappen. We klappen veel te veel allene maar van 't were, of van de politiek, of van onze beleggingen bij den Bank van Roeselare en West-Vlaanderen of van de spaghetti van Soubry op ons tellore of de mosterd van 't Sterreke op ons hoofdvlees. Want daarin zijn w' ook goed, hier in Roeselare en in Rumbeke, in mosterd, in spaghetti en – niet te vergeten – in dichters en in coureurs die jonge doodgaan, lijk Jempie Monseré. 'k Zou zelfs zeggen: we zijn gespecialiseerd in de jongen dood. Maar nu klink ik lijk da 'k nog maar juist op retraite ben geweest bij de nonnen. Die spraken ook zo.

Van spreken gesproken. Ge kunt van Roeselare niet spreken of ge moet van Rodenbach spreken. Maar als ik nu van Rodenbach spreke, dan is 't niet van Albrecht, maar van Pedro en van Alexander. Pedro en zijn broer Alexander, de brouwers van 't bier, hebben mij veel meer gelapt dan Albrecht en ze hebben ook voor veel meer kiekenvlees op mijn armen gezorgd: als ik van de Rodenbach niet zovele gedronken had, dien avond, dan was 't niet gebeurd. Veel dronkaards hebben daar achteraf spijt van, dat er iets gebeurd is, maar ik dank op mijn blote knieën en – als 't moet in mijn bloot achterste – God, die spijtig genoeg niet al te dikwijls met zijn gat bloot zit, en heel zijnen chiquen Bank van Roeselare en West-Vlaanderen en, ja, dus ook Pedro en Alexander Rodenbach, de typen die met de brouwerij begonnen zijn. 't Is nen blinden die mij d' ogen geopend heeft. Speciaal Alexander Rodenbach, indertijd den blinden burgemeester van Rumbeke en tegenwoordig den name van een heel bijzonder bier, speciaal hem dank ik dus dat ie mij met zijn brouwsel de courage, ja, de courage, gegeven heeft om te doen wat ik gedaan hebbe en waarvan dat ik in de reste van mijn leven nog geen seconde, hoort ge mij, nog geen seconde spijt hebbe gehad, ook al is 't verre van rozengeur en maneschijne lijk dat het afgelopen is. Alexander Rodenbach, hé, niet Albrecht. Brouwers deugen d'ailleurs veel meer dan dichters: 'k ben in die kwestie genen echten romantieker. Ook al ben ik meer voor de meiskes, 'k vind hem pertanks goed gelukt, Albrecht, zeker lijk dat ie d'r bij staat op zijn standbeeld op 't De Coninckplein, nota bene met nen vogel op zijn hand die gereed is om op te vliegen. 'k Hebbe maar late beseft dat dat den blauwvoet is waarvan d'r sprake is op de sokkel van 't beeld: 'Vliegt de blauwvoet storm op zee'. Als jonge meiskes maakten wij daar iets anders van, iets met wc, maar 'k ben vergeten hoe dat ging. Hoe dan ook, 't is precies Gregory Peck in zijn jongere jaren die daar staat, den Gregory Peck van *De kanonnen van Navarone.*

Vroeger, als bakvis van een jaar of veertien, vijftien, had ik wreed lang, zwart haar. 'k Was wat z' in 't West-Vlaams 'een snelle' noemen, een schoonheid dus. En 'snel' in de betekenis van 'rap' was ik ook al, op alle gebied. Ook in de schole was ik van de rapste. Zelfs mijn haar groeide rapper dan dat van een ander. Wreed eigenaardig. 'k Wilde nooit naar de coiffeuse en mijn moeder moest ook van mijn coiffure afblijven. 'k Was van plan zolange da 'k leefde mijn haar te laten groeien, al moest het tot aan mijn enkels komen, al moest ik erover 'tsjaffelen', lijk dat ze zeggen. En als ik doodginge, dan moeste mijn haar de geschiedenisse van al de jaren van mijn godganselijk leven zijn. Ge moest in de verre toekomst aan mijn haar kunnen zien da 'k geleefd hadde van negentienhonderd vijfendertig tot laten we zeggen tweeduizend en zovele, lijk dat ge dat ook aan de bomen kunt zien, hoelange dat ze leven.

's Nachts, in bedde, lag ik dikwijls met mijn haar te spelen. En 'k maakte mij daar ne moustache mee of nen sjaal of een zwepe voor de leeuwentemmers in de cirque. En 'k kietelde mezelv' overal: in mijnen hals, op mijnen buik, en ook tussen mijn benen. Surtout tussen mijn benen. En dan peinsde ik nog ne keer aan dat Martje van de Heilige-Hartprocessie van intussen al twee of drie jaar geleden en ik fantaseerde dat wij op een heel andere plekke waren, op een andere plekke in ieder geval dan in de straten waar de processie passeerde met overal dat goedheilig hart van Jezeke voor 't venster. 't Goedheilig hart van Jezus, begot, reclame voor den beenhouwer, ja!, dat schoon stukske vlees dat ie ook nog ne keer fier lijk ne gieter voor zijne mageren torso van mislukten Buffalo Bill hield. 'k Moet eerlijk zeggen: ík gruwde daarvan; ík peinsde echt dat ie, al was ie maar van plaaster, direct ging leegbloeden lijk een zwijn waarvan dat ze 't bloed opvangen in ne bassin om d'r bloedworst van te maken. En leegbloeden, daar kon ik niet tegen. Benauwd van 't lijf! Meer had dat niet te betekenen. Dat zijn z' hier in de streke allemale, benauwd van hun eigen lijf of dat van nen anderen, maar ze durven dat niet goed zeggen.

'k Zat als kind al met den daver wanneer ik van iemand te weten kwam dat er in de verre geburen ieverans een lijk lag te wachten op zijn begravinge. En 'k zat al met de poepers van een schribbelke van niemendal waaruit d'r een paar druppelkes bloed kwamen. Ge kunt peinzen wat dat was den dag dat ik den eerste keer mijn regels krege. 'k Was ervan overtuigd dat 't met mij gedaan ging zijn, da 'k nog allene maar deugde voor de bloedpensen van dienen gruwelijken vetzak van nen beenhouwer, bij wie mijn moeder ook haar koteletten en haar stoofvlees haalde en die dikwijls in mijn billen kneep de keren dat ik de commissies moeste doen, lijk dat ie mij wilde keuren om te zien of da 'k al vet genoeg was voor de slacht. Want mijn moeder! Kletsen en kwaadspreken lijk een commère: van Jan en alleman en met Jan en alleman. Maar ne keer haren bek opentrekken tegen à propos haar bloedeigen dochter om haar te vertellen dat dat de normaalste affaire van de wereld is dat een meiske van ne zekere leeftijd iedere maand een paar dagen bloedt? Olala, dat ziet ge van hier! Mijn moeder had een soort antenne op haar neuze. Eén haarsprietje dat ge bijkans niet kon zien en dat in een dikke puiste wortelde, die periodiek etterde en nooit helegans genas. 't Was lijk dat zíj ondertussen dáár haar regels kreeg en niet meer vanonder. En 't was in elk geval via dat haarsprietje dat z' in directe verbindinge stond met den Dienst Kleine en Grote Rampen, waar dat den duivel chef de bureau was.

'k Was achteraf bekeken beter wees geweest, maar allez, 't was nu zo. Mijn moeder, die had niet liever gewild dan dat ze met de schare een stuk van mij had mogen afsnijden. Dan was dat tenminste were haren eigendom geweest, lijk dat ik in haren besten tijd haren eigendom was, 'k bedoele in den tijd dat ik nog in haren buik zat, den tijd dat we mekaar tenminste nog een beetje gaarne zagen. 'k Ben d'ailleurs d' enige die ooit in haren buik gezeten heeft. Achter mij was 't amen en uit. 't Is een mysterie waarom, maar mama sloot den Grand Bazar tussen haar benen en lei de boeken nere. 'k Ben d'r bijkans zeker van dat zelfs mijn vader d'r niet meer binnen mochte. 't Is tenminste zo dat ik op al de plekken waar dat we gewoond hebben, in de Stokerijstrate, in de Christus Koningstrate, in de Hugo Verrieststrate, nooit een raar lawijt gehoord heb uit de slaapkamer van mijn ouders, ook niet de keren da 'k 's nachts, als 'k somtijds niet kon slapen en meende da 'k iets hoorde, curieus lijk veertig, met mijn ore tegen hun slaapkamerdeure plakte. 'k Heb in mijn leven heel dikwijls gemeend da 'k iets hoorde. Mijne name, bijvoorbeeld. 'k Heb heel dikwijls gemeend da 'k iemand 'Maia' hoorde roepen. En nu nog soms. Maar 'k ben altijd verkeerd. Wie zou d'r nu 'Maia' roepen?

'k Had dus jammer genoeg een ma. Maar in d' eerste plekke had ik ne pa. 'k Was echt de keppe, den oogappel van mijne pa. Spijtig dat ie eeuwig en altijd op zijne kin heeft mogen kloppen. En hij is pertanks oud geworden. Van mijn ma is 't al wel tien jaar geleden, maar van mijne pa is 't nog geen jaar sinds dat hij op 't nieuw kerkhof aan de Groenestrate begraven is. Hij verkocht wat dat ik ook altijd hebbe verkocht: textiel. Maar bij hem waren dat tafelkleedjes en gordijnen en antimakassars. 't Is wreed lange wreed goed gegaan in 't vlas in onze streke, maar mijn pa voelde meer voor den textiel. Al van voor dat 't slecht ging in 't vlas. Ook al waren 't in zijn familie meestal vlasmarchands. Den textiel stonk minder dan 't vlas. Overal, overal aan de kanten van de Leie kroop destijds 't vlas dat ze daar aan 't roten waren in uw neuze. En niet allene in uw neuze. In uw haar. In uw kleren. 't Ging d'r niet uit. Mijne pa noemde dat altijd d'eau de cologne van Pietje de Dood. Hij kon het ook goed zeggen, mijne pa. Maar volgens mij rook het langs heel de Leie naar scheten. Dus dan liever den textiel.

Ook ik ben, precies lijk mijne pa, tot aan mijn pensioen, een jaar of vijve geleden, in den textiel blijven hangen, zij het een beetjen in den specialen textiel. 'k Zei dikwijls: "k Benne geen vertegenwoordigster in textiel, maar een vertegenwoordigster in gebrek aan textiel.' 't Was niet, lijk dat ge misschiens zoudt peinzen, van die speciale lingerie die 'k probeerde te verkopen aan winkeliers. 't Was schone, propere, deftige lingerie. Niet goedkoop, maar kwaliteit. 't Is met serieus veel tegengoestinge da 'k met pensioen benne gegaan, want 'k heb geen zittend gat en 't enige wat mij nog interesseert is een klapke met de mensen. Als g' in de commerce zit, dán doet ge mensenkennisse op lijk de beste. Da's zeker dat! Vertegenwoordigster in textiel – 'k wilde dat blijven tot ik d'r bij nereviele, maar ja, in België zijn 't maar de piepjonge gasten meer die tellen en ge zijt van langs om vroeger uit de mode. Wat zeg ik? Een occasie zijt ge. Ge zijt nog niet helegans uit het ei, of ze pluimen u al. Ge moet gij hier plekke maken, hé, willen of niet. Maar ja, vroeger was 't ook niet goed, dan waren 't allene d' oude die deugden.

'k Moet iets bekennen. Als jong meiske was ik nog het liefst van al coiffeuse geworden, ook al was 't wat mijn eigen haar betreft zo gesteld dat iedereen er met zijn poten van afblijven moest. Maar d'r waren al redelijk veel coiffeusen in de stad en ik kon meer verdienen als vertegenwoordigster: daar wist mijn pa met de nodige moeite voor te zorgen. En dat ondanks al 't verdriet dat ik hem aangedaan had en ondanks mijn reputatie in dienen tijd – om maar te zeggen welk ne brave vent mijne pa was.

't Is 't geld dat mijn leven nen anderen draai gegeven heeft, God en den Bank van Roeselare en West-Vlaanderen. Maar 't is ook 't goedheilig Hart van Jezus, den heiligen Joseph Soubry van de spaghetti en Sint-Odiel Defraye, uit Rumbeke, Groot Roeselare, die den Tour de France van 1912 gewonnen heeft en die een voorbeeld was voor iedereen die achter hem kwam, voor iedereen die in de jaren die volgden den eersten wilde zijn. 't Is een samenspel van omstandigheden dat mij gemaakt heeft tot wat ik nu benne. Maar 't is in d' eerste plekke 't onvermijdelijk lot van hier geboren te zijn. 't Lot, God en 't geld.

'k Benne tenminste niet te hypocriet om toe te geven da 'k geld van 't schoonste vinde dat er in 't leven is: geld en 't buikenputje van Martje en nog iets, ook van Martje, iets dat d'rop rijmt en dat precies nu, achter vierenvijftig jaar, nog altijd brandt in mijn memorie en in mijn fantasie, omdat ik het eigenlijk nooit hebbe gezien. Ze zeggen dat we 't geld niet meepakken in 't graf, dat ons geld dus eigenlijk niet van ons is, maar ik gelove dat zo nog niet. Akkoord, 't zijn degenen die achter u komen of onzen teerbeminden Belgischen staat die d'rmee gaan lopen, maar de reputatie dat ge 't verre geschopt hebt in 't leven en dat ge tenminste niet als nen sukkelare geëindigd zijt: die gaat nog een tijdje mee, niet al te lange, maar d'r is niets dat wreed lange meegaat, ook 't buikenputje van Martje niet en zelfs dat ander iets van Martje niet, dat ander iets dat voor een fractie van een moment opgloeit in mijn leugenachtige memorie, ook dat blijft niet duren en de wereld is al 'k weet niet hoeveel miljoen jaren oud en zelfs nu, mei 2000, nog altijd niet versleten. Al komt er den laatsten tijd misschiens toch wel meer en meer sleet op, evenveel sleet als op de reputatie van Albrecht Rodenbach die pertanks ne fameuzen dichter geweest is, schijnt het, in den tijd dat de dichters nog beroemder waren dan de brouwers. Ga maar ne keer na hoe lange dat dát geleden is. En dat kerelke is niet ouder dan vierentwintig geworden, nauwelijks ouder dus dan Jempie Monseré, de wereldkampioen velokoerse. En ook Albrecht Rodenbach, bijgenaamd 'de wonderknape van Vlaanderen', was eigenlijk de wereldkampioen van de dichters, zij het nogal nen plaatselijken wereldkampioen en in de categorie van d' amateurkes, als ik dat zeggen mag. Nee, echt waar, romantieker of gene romantieker, 't geld zal altijd van 't laatste zijn waar dat er sleet op komt.

'k Was een 'snelle'. 'k Wille hier eigenlijk korte metten maken met wat dat ze altemets van de lesbische zeggen. Dat ze meestal bazig zijn en d'r een beetje dom uitzien en lelijk, dat in ieder geval. Dat z' eigenlijk allene maar voor 't eigen geslacht kiezen omdat 't andere ze toch niet wil. 't Is flauwekul, dat! 'k Heb echt bijous van vrouwmensen gezien die pertanks niets van 't mannenvolk moesten weten. En op mijn eenentwintigste, in 1956, 't jaar dat de mensen in Boedapest nog verpletterd gingen worden door den Rus zijn tanks en dat ze hier den honderdste geboortedag van Albrecht Rodenbach vierden en ook de Rodenbachwijk begonnen te bouwen, in 1956 is 't er hier iets gebeurd, iets dat mij serieus door mekaar gerammeld heeft.

'k Heb dan nog altijd wreed lang en wreed schoon haar en 'k benne dan nog altijd een snelle. 't Is ieverans naar 't einde van juli toe. 'k Hebbe al nen Rodenbach of viere binnen, wat redelijk veel is voor een mager vrouwmens lijk ik, maar niets te vele voor iemand van Roeselare. D'r zijn verschillige feestdagen tot meerdere eer en glorie van Albrecht Rodenbach zijnen honderdsten geboortedag. 't Is al Rodenbach wat de klokke slaat. D'r is natuurlijk were ne stoet met vendelzwaaiers en praalwagens en ook wordt er een Rodenbachspel opgevoerd in een regie van den alom aanbeden Antoon Vander Plaetse. Als ge 't mij vraagt: heel Roeselare is zat.

'k Zit in café De Beiaard en op zeker moment komt daar een meiske binnen, helegans allene, een meiske dat volgens mij niet van Roeselare is. Maar van bijous gesproken: nen bijou van een meiske, eentje met blond krulhaar en een beetje ne froufrou en donkerrood geverfde lippen. 'k Kan mijn ogen niet van haar afhouden en – eerlijk gezegd – 'k wil het ook niet. Goedheilig hart van Jezus, sta mij verdomme toch bij! 't Valt echt op en geen klein beetje. 't Bier zal d'r ook wel voor iets tussen zitten, maar 'k ben lijk van kop tot teen van de hand Gods geslagen.

'k Geraak ermee aan de klap en 't is er eentje dat Germaanse talen leert in Leuven en speciaal hier is voor diene geboortedag, want ze wil of ze moet haren thesis over Rodenbach maken, over hem en 't kleinseminarie. 'k Peinze: ze moet, want z' is daar niet zot van, zegt ze, van Albrecht Rodenbach. En zijne geboortedag zegt haar precies ook niet vele, want ze zit liever op café dan mee te doen aan een van d' activiteiten. 't Is echt een heel speciaal meiske.

't Doet mij plezier dat ze niet vies is van 't Rodenbachbier. 'k Traktere haar d'r één, 'k traktere haar d'r twee en 'k traktere haar d'r drie. Pertanks, veel geld zit er in die dagen nog niet in mijne portemonnee: 't is nog niet gedecideerd da 'k vertegenwoordigster ga worden en goed mijne kost ga verdienen, geen fortuinen, maar toch meer dan 't zout op mijn patatten. 'k Voele nog altijd meer voor coiffeuse en met d' afgedankte krultangen, scharen en drogers van mijn tante die zelve ooit nen tijdlang coiffeuse is geweest in Moorslede, ene van ons randgemeenten, verdien ik soms ne frank. 's

Avonds en in 't zwart natuurlijk! Maar 't is ne frank die 'k altijd aan mijn moeder moete geven. Ondertussen ben ik niets: geen coiffeuse, geen vertegenwoordigster, allene maar de dochter van mijn moeder. 'k Mag dan nog naar de grote schole geweest zijn! 'k Mag dan nog meerderjarig zijn!

Frieda – zo heet ze – spreekt Schoon Vlaams, maar zulk schoon Schoon Vlaams, da 'k eerst nog peinze dat ze uit Holland komt. 't Moet een wreed geleerde zijn en een wreed rijke want in dienen tijd zitten d'r nog niet zot veel meiskes aan d' universiteit. 'Maar allez toe,' zegt ze, 'ge hoort gij dat toch da 'k van Ardooie benne?' Ardooie ligt vlak bij Roeselare, lijk Moorslede, maar 'k horekik juist niets, rien de knots. 'k Zie allene maar de glinsteringen in haar ogen, de glans van haar lippen en 't licht in haar schoon blond krulhaar. Enfin, 't is lijk een visioen. 't Is allemale schoon aan haar. We zitten daar – hoe lange? twee uren? drie uren? zesendertig eeuwen? – en op 't einde kennen we mekaar van binnen en van buiten, van boven en van onder, van links en van rechts. En we lachen ons een krieke van al dienen drank in ons botten, ikke surtout.

Ze vertelt mij hele vertellingen. 'k Kan goed klappen en ook goed luisteren, maar d'r zijn veel te veel vertellingen. En d'r zijn veel te veel mensen. En in de koppen van al die mensen zit het ook nog ne keer vol vertellingen. In Groot Roeselare allene zijn d'r nu, mei 2000, al meer dan vierenvijftigduizend koppen. Meer dan vierenvijftigduizend! Zodus, wat doen sommige van die vertellingen? Ontsnappen uit de koppen van sommige van die mensen en wegvliegen. En bij mij is dat ook zo; 'k benne slecht van memorie. D'r is maar één vertellinge die 'k nooit zal vergeten en 't is die van Schone Frieda met haar Schoon Vlaams uit Ardooie, van Schone Frieda en van mij, Maia, den indiaan uit Roeselare. Roeselare, dat 't middelpunt van West-Vlaanderen is en West-Vlaanderen dat 't middelpunt van de wereld is.

D'r staat in Roeselare nen boom waarin dat ge nu nog, achter vierenveertig jaar, mijne name en den dienen van Frieda kunt lezen, met daaronder een hartje en een pijlke. Om maar te zeggen dat 't er goed diepe in gekerfd moet zijn. D'r staat in Roeselare zulk nen boom, één, maar 'k benne niet van plan te verklappen waar.

In elk geval: dienen avond in juli van 't jaar '56, dienen avond en dienen nacht, kom ik voor den allereerste keer in mijn leven niet thuis. En ook den dag die d'rop volgt zal 't maar achter de noene zijn dat mijn moeder tegen mij kan beginnen te roepen en te tieren en dat ze van mij verwacht da 'k sta te beven van d' alteratie. Frieda ontvoert mij, van achteren op haren velo. We zwieren van links naar rechts, van rechts naar links door de straten van Roeselare. 't Is Rodenbach hoogstpersoonlijk, maar Alexander Rodenbach of misschiens Pedro, die aan 't kriebelen is in onzen buik. En 'k hebbe nooit geweten dat er tussen De Beiaard en 't kerkhof aan de

Blekerijstrate zoveel straten zijn die lijken op de straten van Saint-Tropez of die van Nice of die van Acapulco, waar da 'k nooit geweest benne, maar waarvan da 'k altijd gepeinsd hebbe dat de straten d'r heel anders uitzagen dan die van Roeselare. En ook heb 'k nooit geweten dat er in Roeselare, West-Vlaanderen, België, Heelal, op 't einde van juli zoveel zonnen bestonden. En dat die allemale bestonden om uiteindelijk gestolen te worden en in d' ogen van mijn Frieda te belanden.

'Hebde gij serieus nog nooit de graftombe gezien van Albrecht Rodenbach? Allez toe gij! En gij zijt van Roeselare?' Frieda wil per se mijne gids zijn. Wat wij niet weten, al hadden wij 't waarschijnlijk kunnen of moeten vermoeden als w' ons in De Beiaard tenminste voor iets anders hadden geïnteresseerd dan voor 't gefonkel van al de sterren van heel 't godganselijk firmament in mekaars ogen: daar al, in een hoekske van De Beiaard, zitten d'r twee gasten van een jaar of vijfentwintig den helen tijd naar ons te loeren. 't Zijn pertanks jongens, hoor ik achteraf, die bekendstaan als serieus en te vertrouwen. En ze zouden eigenlijk bij niemand opvallen, ware 't niet van de voor dienen tijd nogal chique fotocamera's op hunnen buik.

't Graf van Albrecht Rodenbach: daar is daar niet veel speciaals aan te zien, allez dat vinnekik toch, of 't zou diene gebeeldhouwde leeuw moeten zijn die d'r de wacht houdt onder 't opschrift 'Vlaanderen bovenal in der Eeuwigheid'. 't Is zeker een foefke van Frieda geweest. Ze wilde zij hier natuurlijk ne keer allene zijn met mij. Zo zeggen ze dat soms in de streke: 'met iemand allene zijn'. Maar daarmee bedoelen z' iets dat veel meer menens is dan vuile spellekes spelen, iets voor de grote mensen die voor de reste van hun leven groot mogen blijven, maar van wie dat 't straf de vrage is of ze daarom ook mogen doen wat dat ze willen. 'Our sweetest songs are those that tell of saddest thought,' zegt Frieda. 'Wablief?' zeggekik. 'k Kenne nog allene maar Engels met wreed veel haar op. Ja, 'Heartbreak Hotel' van Elvis, dat kenne 'k bijkans van buiten. Maar 'k ga later toch wat bijlesse moeten krijgen, want Engels is goed voor de commerce met 't buitenland. 'Dat is van nen bekenden dichter,' zegt Frieda, 'van Shelley, nen romantieker, precies lijk den onzen hier ook jong gestorven van niet meer te kunnen asemen.' En ze wijst zo ne keer met een knikske van haar hoofd naar Albrecht zijn graftaarte, zo'n tien meters van de zerk waarop dat w' intussen zijn gaan zitten, wat feitelijk niet mag, zelfs niet voor grote mensen.

De zonne is bijkans aan 't ondergaan, maar 't is ne schonen dag geweest en d'r is nog veel licht over in den hemel, precies lijk dat ze vandage met iets minder toegekomen zijn dan z' eerst hadden gepeinsd. En in de laatste felte van dat licht kijk ik nog ne keer – neen, 'k ben verkeerd – kijken we nog ne keer in mekaars ogen en 't is direct prijs. We stekken mekaar vaste lijk dat w' in de ravijne dreigen te storten en we trekken en we likken aan mekaar en we zitten onder mekaars kleren en 't is van 'Vliegt de blauwvoet, vliegt de blauwvoet', al weten wij niet goed waar naartoe.

't Is eind juli. 't Is nog meer dan twintig boven nul. Maar ge moet daar nog die vijftig graden hitte bijtellen van onze twee lijven. 't Komt erop nere da 'k in de kortste keren niet vele meer aanhebbe dan wat ik niet in een-twee-drie uitgekregen hebbe: mijn sokken en mijn schoenen. En Friedaatje heeft vanboven ook niet al te vele meer aan. En dat tussen al die doden, die ook niet vele meer aan hebben! 't Is fantastisch, 't is zelfs iets voor romantiekers, 't past bij onzen Albrecht, die zo op Gregory Peck lijkt en die gegarandeerd door een splete in zijn graf naar ons aan 't gluren is, de filou. En in ieder geval past het bij onzen Engelsen dichter. Maar ge kunt het aan gene mens vertellen. Ze zouden u zot verklaren, ze zouden u toch niet geloven.

Feit is da 'k op zeker moment boven op Friedaatje ligge en één ogenblik den indruk krijge dat 't in d' ogen van Martje van de Heilige-Hartprocessie is da 'k aan 't kijken benne. Feit is dat mijne paardenstaart op een bepaald moment tussen Frieda's benen ligt en dat ze hem zelfs bij haar naar binnen duwt. In de kortste keren ben ik crimineel aan 't zuchten van 'Friedaatje, Friedaatje, Friedaatje'. En met heel mijn konte bloot lig ik den hemel uit te lachen. 'k Wete allene niet of da 'k aan 't zweten benne van de warmte van diene Roeselaarse julidag of van de gloeiingen van mij en van mijn Friedatje dat daar met haar oogskes toe ligt te genieten. Van alles, peins ik, 't is van alles. En dan hore 'k iets afgaan. Precies 't geluid van ne vogel die al met ne keer zijn vlerken openslaat en opvliegt uit de struiken. Zo'n geruchte, maar dan stiller. Op 'tzelfde moment is 't lijk dat het ieverans bliksemt zonder gedonder, maar dat kan niet, d'r heeft heel den dag zo nen blauwen lucht gehangen. Dat kan dus niet. 'k Kijke een momentjen achter mij. 'k Zie niemand, maar 'k wete eigenlijk zeker dat er iets is gebeurd. En 'k pakke Frieda's hoofd met mijn twee handen vaste en 'k kusse haar ogen en 't topke van haar neuze. 'Meiske,' zeg ik, 'mijn meiske, mijn meiske, 'k peinze dat z' ons lelijk liggen hebben.' En 't toeval wil dat precies op dat moment den beiaard van de Sint-Michielskerke begint te spelen. Nog wel een melodietje da 'k kenne:

Dan mocht de beiaard spelen
Van al uw torentransen,
Dan mocht de grijsheid kwe-elen,
Dan mocht de jonkheid da-a-a-a-a-ansen.

Wa 'k dan deed, ach, 't was misschiens stom van mij en 'k wiste ook niet waarom da 'k het deed: 'k zochte in mijn sacoche naar mijne kam, 'k begonne 't melodietje van dienen beiaard mee te neuriën en 'k kamde Frieda's schoon blond krulhaar. 't Was lijk afscheid nemen. 't Was lijk om te zeggen: toe, ga nu maar, 'k wete wel wat dat er gaat gebeuren; van mij gaat ge gene last meer hebben, ik en zal uw haar nooit meer in de war brengen.

Maar ze ging niet. Nog niet. Wel integendeel. Ik ginge met haar mee, naar Ardooie. Were van achteren op haren velo. En were zwierden wij van links naar rechts, van rechts naar links door de straten en nog altijd zaten Pedro en Alexander een beetje in onzen buik te kriebelen, maar ook in onze kop. W' hadden de chance dat haar ouders dat weekend niet thuis waren en dat 't kot van ons allene was, want ze was – precies lijk ik – enig kind. Maar diene nacht en tot een gat in de volgenden dag lagen w' als twee brave zusterkes in malkanders armen. G' hadt ons Ons Here gegeven zonder biechten. Maar ja, in Ons Here waren wij niet wreed geïnteresseerd.

't Kerkhof kwam niet meer in ons gedachten.

Ge kunt dat niet bewijzen, ge kunt dat allene maar vermoeden dat 't die twee jongens van De Beiaard geweest zijn. 'k Heb ze d'r niet op aangesproken; 't kwaad was toch geschied. We mochten al content zijn dat z' ons niet aankloegen voor openbare zedenschennisse of – nog schoner – grafschennisse. Ge ziet mijne voorkant dan wel niet op diene foto, maar ge ziet da 'k boven op een meiske ligge en wie dat ze kent, weet dat het Frieda is. En dat ík het benne, valt ook al moeilijk t' ontkennen, want d'r is niemand anders in Roeselare met ne paardenstaart van hier tot bij de geburen.

't Was algauwe heel de stad rond.

'k Had mij die laatste julidagen van 't jaar '56 de koning te rijke gevoeld, 'k was d'r zeker van da 'k de vlamme van mijn leven gevonden hadde, maar begin augustus voelde ik mij plat verruïneerd. D'r kwam een briefke. Met de post, alstublieft! Ook mijn moeder was nu al op d' hoogte; 'k kon dat goed genoeg zien aan haar manier van doen en aan heel haren lijkbidderssmoel, maar ze zweeg lijk vermoord en binst dat ze mij d' enveloppe in mijn handen duwde, gaf ze gelukkiglijk geen commentaar. Wat doet ge dan in zulk een situatie? Subiet naar uw kamer lopen, de deure op slot doen en u op uw bedde gooien, precies lijk in de cinema. D'ailleurs, 't is allemale cinema in 't leven. Gene cinema, geen geld – dat zeggekik u, gewezen vertegenwoordigster in 't gebrek aan textiel.

Iedereen mag dat weten, wat er in dienen brief staat. Niet nodig om daarvoor lijk nen dief mijn kamer binnen te dringen binst da 'k er zelve niet benne en in al mijn kasten te gaan snuffelen, zonder zelfs maar de moeite te doen om alles weer op zijn plekke te leggen. 't Is maar da 'k iemand kenne die dat wel gedaan heeft. Om haar niet te noemen: mijn ma.

Frieda ging naar Canada, schreef ze. Ze had daar ieverans familie op ne ranch met honderden hectaren grond. Zodus: ze konden daar wel een paar handen gebruiken. In Ardooie was 't intussen ook al geweten. En in Leuven was 't dan wel genen boel, maar ze vond het lastig om zich daar nog te laten zien. En Albrecht Rodenbach? Welja, Albrecht Rodenbach ging niet weglopen, van zijne sokkel op het De Coninckplein niet en uit zijn graf op 't kerkhof nog veel minder. Dienen thesis: vroeg of late gingen ze daar wel iemand anders voor vinden. 't Was beter dat ze nu, zonder verder uitstel, alles opgaf.

't Ergste moest nog komen. D'r stond te lezen, zwart op wit, dat het afgelopen was tussen ons, dat 't feitelijk nooit had mogen beginnen – dat in d' eerste plekke. Want dat w' ons heel zeker te vele hadden laten gaan en dat het heel zeker ook de schuld was van Rodenbach, van alle Rodenbachs van heel Roeselare, den dichter en de brouwers. Wat er niet stond, maar wa 'k tussen de regels wel kon lezen, was dat ze gezwicht was voor de schande, dat ze peinsde dat de mensen háár aangezichte niet meer konden zien zonder d'r míjn achterwerk cadeau bij te krijgen, lijk een prentje van nen olifant of nen neushoorn in een repe chocola van de Jacques.

Eerst heb ik mijn polsen willen oversnijden, maar 't volstond van te peinzen aan onzen beenhouwer met zijn specialiteit van bloedpensen om dat geen al te best gedacht te vinden. 't Kanaal Roeselare-Ooigem was 't volgende wat bij mij opkwam. Maar 'k weet niet: water, dat ligt mij precies niet. 'Water, dat is voor de ganzen,' dat zeiden z' altijd bij ons en zij bedoelden dat 't bier veel meer deugt, voor alles d'ailleurs, ook in geval van ziekte of bij een groot verdriet. 'k Vond eigenlijk dat er niet veel overbleef wat mij wel aanstond. Ge moet gij ook een beetje chance hebben, als 't erop aankomt u van kant te maken.

'k Ben dan maar van gedacht veranderd en ten slotte naar de naaikamer van mijn moeder gegaan, de kamer waar dat ook al 't coiffeusegerief van mijn tante ligt. 'k Ben voor de spiegel gaan zitten en 'k heb ne laatste keer naar Maia, den indiaan, gekeken. 'k Heb tegen haar gezegd: 'Maia, zotte triene, wat zoudt gij dood willen? Ge maakt u iets wijs. Wat dat gij wilt, dat is, ja, 'k weet niet, dat is baas zijn van uw eigen leven. Ge doet u daarvoren toch niet dood?' En 'k heb de schare gepakt, de grootste schare van mijn tante van Moorslede, en met veel zwier heb ik ze een paar keer boven mijne kop laten ronddraaien – die schare hé, niet mijn tante – en met mijn ander hand heb ik mijne paardenstaart vastgepakt, de geschiedenis van Maia van 0 tot en met 21 jaar. 't Was nog niet gemakkelijk om d'rdoor te geraken, door dienen dikken paardenstaart, want die schare was in geen jaren meer gewet. Maar 't lukte uiteindelijk toch en 't was lijk dat g' in de spiegel goed kon zien hoe Maia, den indiaan, werd weggesneden en verdween en hoe Maia, de vertegenwoordigster in chic ondergoed, daar in volle glorie verscheen.

Allez, nu weet iedereen tenminste waarom dat mijn haar zo kort is en ook waarom da 'k voor 't geld gekozen hebbe. Als ne mens geen liefde krijgt, dan wil die geld. Zo simpel is dat. Al is 't dikwijls ook omgekeerd:

dat ge peinst met geld de liefde te kunnen krijgen die g' anders zoudt moeten missen. Enfin, misschiens is 't omgekeerde niet het omgekeerde, maar 'tzelfde. Dus: misschiens is 't toch nog zo simpel niet. 'k Vertelle dat allemale maar voor 't geval dat er iemand mij iets zou verwijten of dat er iemand zou peinzen dat er hierbinnen nen steen zit. Integendeel, 't is gene steen, 't is nog altijd dat hart dat leeg kan bloeden. D'r is nooit meer een ander lief geweest dan Martje, 't lief da 'k nooit gehad heb, en dan Frieda, die nen halven dag, ne hele nacht en nog ne keer nen halven dag van mij is geweest. Voilà, nu is 't er niets meer van mij over dat iemand nog niet kent.

In heel Roeselare waar dat 't maar den eersten of den besten is die telt – kijk maar naar ons Fredje met zijn gouden medaille in 't zwemmen – in heel Roeselare, waar dat z' om ter luidst lachen om een schete, maar als 't ze niet meezit zwijgen lijk vermoord, in heel dat eeuwig, niet kapot te krijgen Roeselare heeft diene pikante foto gecirculeerd. En lange gecirculeerd! Al de venten hebben mij bepoteld. Tot in d' achterbuurten kenden ze mijn achterste. 'k Zag het direct als ik ieverans kwam, bij den bakker, bij den groentemarchand of elders. Zelfs als ze niet te beschaamd waren om in mijn ogen te kijken, dan nog was 't niet mijn façade die ze zagen, maar mijnen achterkeuken. 'k Vroege mij op de langen duur eigenlijk af waarom da 'k nog van die flatteuze kleedjes droege, om van de chique slipkes, die 'k zo vanaf mijn dertigste aanhad, nog maar te zwijgen. De mensen zagen dat toch niet, bah neens, 't mannenvolk al zeker niet. Contrarie, ze wisten allemale: 't is daaronder dat het te doen is – Aux armes, citoyens! – 't is daaronder dat 't wereldberoemd achterste zit. En 't was lijk dat ze 't zagen. En echt waar, ze zagen 't.

'k Was en ik bleve Maia, de Madonna met de Blote Konte. Maar anders dan Frieda, eigenlijk toch een beetje een 'onbevlekte ontvangenisse', want van haar stond er niets bloots op diene foto, anders dan Frieda draaid' ik mijn aangezichte niet altijd weg. 'k Gelove daar niet in, in onbevlekte ontvangenissen. 't Is jammer, maar 't is zo, want 'k ben haar stijf lange stijf gaarne blijven zien, Frieda. En 'k moete zeggen: nu nog. Maar ik ben meer een vuilemuile dan zij. En 'k was dan al een vuilemuile. 'k Hebbe dan toch nog iets van mijn moeder. 'k Keke soms recht in iemand zijn ogen en dan zei 'k iets in den trant van: 'Gij zoudt dat misschiens wel willen, hé, da 'k een onderbroek over mijne kop droege?' Of: 'Tiens, nog iemand die zijn ogen niet op zijn gat heeft staan. Aangenaam!' En 't was dan meestal rap gedaan met al dat hypocriet gedoe van kwaadspreken van den ene kant maar d'r van den andere kant natuurlijk met veel plezier 't fijne van willen weten.

'k Moet nog iets vertellen over de dingen die 'k altijd had willen doen en die 'k nooit gedaan hebbe. De dingen die 'k altijd had willen doen en die 'k nooit gedaan hebbe, zijn de volgende.

Ten eerste. 'k Was in mijn leven wreed gaarne ne keer naar Nice, Saint-Tropez of Acapulco geweest.

Ten tweede. 'k Had het gaarne met Martje 'gedaan', lijk dat ze dat zeggen, en wel in den tijd dat we daar in de processie liepen, zij een jaar of elve en ik een jaar of elve. 'k Had het wreed gaarne met haar gedaan in den tijd dat dat van de grote mensen nog niet mocht, vanwege blablabla en patati en patata. Precies daarom. En 'k had haar niet vermassacreerd, bah neenik, 'k had allene misschien ne keer gaarne haar buikenputje gelikt en ook dat ander iets, binst dat er in mijnen en in haren kop Marialiedjes gonsden, gelijk daar zijn 'Onze-Lieve-Vrouw van Vlaanderen' of 'Lieve Vrouwe van ons land, met uw kroon of sleep van kant'.

Ten derde. Ik was gaarne, wreed gaarne zelfs, coiffeuse geweest en dan had ik mijn ma vastgebonden in zo nen coiffeursstoel en haren kinne en haar bovenlippe, haar wimpers en haar wenkbrauwen ingezeept met van die speciale scheerzepe. En, eerst met de schare en dan met d' ouderwetse tondeuse van mijn tante van Moorslede, had ik heel heel gaarne alles afgeschoren, ook die lelijke haarspriete boven op haar neuze, haar directe verbindinge met den duivel. 'k Had gaarne alles afgeschoren, lijk dat dat bij sommige van die zwarten gebeurd is die z' in 't kleinseminarie opgesloten hebben na den oorloge. En dat ze dan wel een toontje lager zou gezongen hebben, mijn moeder.

Wa 'k ook nog gaarne hadde gedaan: ne keer een totje geven aan Albrecht Rodenbach, meer uit compassie dan uit iets anders.

Maar echt het liefst van al had ik gehad dat er geen pleksken op 't lijf van Frieda geweest was, geen pleksken, waar da 'k niet minstens ene keer met mijn handen of met mijn tong of met mijnen paardenstaart van destijds, mijnen paardenstaart die tot onder mijn konte kwam, mijn konte die later in heel Roeselare wereldberoemd geworden is als de blote konte van de Madonna, 'k had gaarne gehad dat er geen pleksken op 't lijf van Frieda geweest was waar da 'k niet minstens ene keer langsgekomen was. Want voor geen geld van de wereld had ik één pleksken willen missen, als ik ze tenminste niet allemale had moeten missen, alle plekskes op Frieda's lijf, omdat ze meeverhuisd waren naar een plekke veel te verre van hier. 'k Was gaarne, wreed gaarne, 't liefst van al zelfs, lijk Jempie Monseré in de velokoerse, wereldkampioen geworden, maar dan in de liefde.

Dat zijn de dingen die 'k altijd had willen doen en die 'k nooit gedaan hebbe. En dat zijn d' onvergetelijkste dingen: de dingen die ge niet gedaan hebt. En 't gaat er waarschijnlijk ook niet meer van komen om ze nu nog te doen.

En dan is 't er nog iets...

'k Heb hem aan 't einde van 't spel, achter meer dan een jaar, toch toegestuurd gekregen, diene fameuze foto. Anoniem natuurlijk, van 't een of 't ander schijtgat, en waarschijnlijk de zesendertigsten afdruk. 'k Heb hem, contrarie lijk da 'k benne, laten uitvergroten – serieus uitvergroten – en daar hangt ie nu, boven mijnen dressoir. Niemand die mij nog herkent; 'k benne zo stillekens aan van den ouden tijd. En hij hangt à propos nevenst een affiche van een paar danseressen van de Folies Bergères met veel pluimen in hun konte. Nu dat 't met mijn eigen konte toch maar triestig afgelopen is, besef ik eindelijk da 'k dat misschiens ook had moeten doen. De mensen uitlachen met heel mijn glorieus achterste. In de Folies Bergères of in de Moulin Rouge of desnoods zelfs in De Scheve Schaatse. Rap en gemakkelijk geld verdienen – met mijn konte en met de pluimen in mijn konte. Geld da 'k dan had kunnen placeren, op een boekske bij den Bank van Roeselare en West-Vlaanderen. Geld waarmee da 'k mij dan van die gedistingeerde kleedjes had kunnen kopen. Kleedjes waarmee da 'k dan had kunnen paraderen in de chicste straten van Roeselare, want Roeselare heeft veel chique straten ondertussen, olala! En dat er dan niemand zou geweest zijn die ook maar één moment had gepeinsd: die gedistingeerde madam die daar loopt, 't is door de pluimen in haar konte dat z' al haar gedistingeerde kleedjes heeft kunnen betalen.

'k Heeft allemale niet mogen zijn. 'k Ben zot geweest. 'k Ben dom geweest. Mijn konte was voor Parijs bestemd, en voor Nice en voor Acapulco. Maar 't is bij Roeselare gebleven.

Lucky Star

Het was in '75 of '76, dat weet ik niet meer. Of toch, het was '76, en we waren nog met zijn elven die in de retorica zouden afstuderen. En wij hadden – nu ik er zo over nadenk – allemaal een bijnaam. Ik ken ze zelfs nog: bijvoorbeeld Quick van de quick-quick-slow, de jongen die zo goed kon dansen en die van Elvis hield op een moment dat de Beatles al bijna passé waren. Of Vinkske, de Grote Zelfbevlekker, met zijn aangebrande moppen en zijn vuile praat. Die is later ingetreden, Vinkske. Want God of de tieten van Marilyn Monroe – dat vond ie blijkbaar allemaal 'tzelfde. Als ie maar kon dromen. 'Zelfbevlekking', hm, dat woord was toen nog niet uit de mode, 'nostalgie' trouwens ook niet.

Wij, de meisjes, wij hadden óók bijnamen. Bommeke onder andere. Bommeke, dat was iets opgezwollens, dat was iets dat altijd op ontploffen stond. Maar 't kwam er nooit van. Behalve die ene keer natuurlijk, in de derde of de vierde Latijnse. De leraar geschiedenis had in geuren en kleuren over de bommen op Hiroshima en Nagasaki verteld. De hele tijd had ze zitten blozen. Alsof het allemaal háár schuld was. En wij na de les, op de speelplaats, maar roepen: 'Viva Bomma, patatten Hiroshíma!' En dan, dán is ze écht ontploft, zó ontploft dat zij Simca een fameuze draai om de oren gegeven heeft.

Daar had ik eigenlijk wel lol in. Simca vond ik maar niks. Al die jaren niet. Waarom? Omdat die nu eens altijd als eerste klaarstond om iemand te treiteren of te verklikken. Rad van tong, dat was ze wel. Net als haar vader. Met hetzelfde gemak kon die iemand auto's aansmeren en zijn maîtresses om de vinger winden. Dat wist de hele school. Ik heb eigenlijk nooit goed begrepen waarom zijn Simca zo populair was. Want achter haar rug was het van 'Truttemie' en 'Tettertrien', maar ja, zij kon het goed uitleggen. D'r hingen er altijd wel drie of vier aan haar lippen. Ík was daar nooit bij.

Dan liever Mieleke. Háár vader was verkoper van – ja, juist – wasmachines. 't Was nogal een stille en een beauty kon je haar niet noemen, maar ze rook wel altijd goed. Zij was het best gewassen meisje van de klas. Misschien daarom dat ik vond dat zij op Vickske leek, een meisje met vlechten. Altijd buiten adem, Vickske. Díe had een binnenste als van een wastrommel. Maar voor de rest: Vicks, Vicks en nog eens Vicks! Daarmee probeerde zij haar lastige longen schoon te krijgen. Zo proper als Mieleke er vanbuiten uitzag, zo vlekkeloos wilde Vickske vanbinnen zijn. Er was niet één jongen die op haar viel. 't Was ook niet moeilijk. Jongens, pff, daar waren er in de retorica maar vier meer van over. De rest was in de loop der jaren gestruikeld over de *Grammaire* van Grévisse, de tabel van Mendelejev of de redevoering van Cicero: 'Quousque tandem abutere Catilina patientia nostra?' Ík zal dat nooit vergeten. En de andere meisjes ook niet. Want we waren goed in Latijn. Ík was de beste. Bijna in alles. Aan het eind van de retorica, bij de proclamatie, stond ik daar – gloriedronken, eerste van de klas. De meisjes hadden allemaal goed gescoord. Dat maakte ons beter dan de jongens. En jezus, wij wisten het. In die tijd wisten wij nog alles, bijvoorbeeld ook dat wij elkaar minstens één keer per jaar moesten terugzien.

Eén jongen had binnen de klas een liefje gevonden: Ollie. Die had met Van Impke aangepapt. Wij noemden haar zo omdat zij fanatiek dweepte met die kleine coureur uit Erpe-Mere. Zij was ook maar een kleintje. Maar een vinnige. 't Was duidelijk dat zij moeder wilde spelen over Ollie. Hijzelf was een beetje papperig en niet van de slimsten. Tijdens geschiedenis haalde hij zijn eeuwen verschrikkelijk door elkaar. Maar op het examen: olala! Wereldkampioen in het sjoemelen. Nooit betrapt! Op de proclamatie kwam ie ons triomfantelijk vertellen dat ie in Leuven sportkot ging doen. Hij zag dat wel zitten. Van Impke ook. Jammer genoeg is er een paar maanden later iets gebeurd. Een ongelukkige val tijdens een oefening op de bok. Van Impke, niet eens weduwe, stond bij de kist van haar kampioen alsof zij hem nog de erepalm wou geven. Ik had niet gedacht dat wij al zo snel een klassenreünie zouden krijgen. En dat werd het ook niet. Ik stond daar alleen. Zo zie je maar – zes jaar met elkaar opgetrokken. Lief en leed gedeeld – no problem. Elkaar van alles beloofd. Elkaar nooit vergeten. En elkaar terugzien? Ja natuurlijk, liever morgen dan overmorgen. Maar het is dan blijkbaar tóch waar wat ze zeggen, dat uit het oog ook uit het hart is.

'*t* Is daarom dat het mij eigenlijk zo verwondert dat er nu morgen ineens nog een klassenreünie komt. Voor het eerst in vijfentwintig jaar. Zoiets wil ik niet missen. Daarvoor, alleen daarvoor zit ik hier zo helemaal alleen in The Grange. 'k Ben niet gek, nee! 'k Ben alleen maar razend benieuwd. Hoe al die koppen er morgen, tien kilometer van 't restaurant hier, zullen uitzien!

Weet je wat ík denk? Dat het allemaal door Eva komt. 'Vake' noemden wij haar. Zij was de vader van de klas. Alles bedisselde ze. Alles organiseerde ze: de thé dansants, de spaghettifuiven, de collectes voor de verjaardagscadeaus... 't Zou mij echt niet verwonderen dat ook die klassenreünie haar idee is. Vijfentwintig jaar geleden was Vake niet eens mijn allerbeste vriendin. Nu ja, een echte boezemvriendin had ik eigenlijk niet. Iedereen vond mij een beetje raar, geloof ik. Maar dat ik nú nog iets van die van mijn jaar af weet, heb ik wel aan Eva te danken. Doordat ik tegenwoordig met haar correspondeer.

Vake is tamelijk laat moeder van een tweeling geworden. En ze hád al een dochter. Met die drie heeft ze nu natuurlijk de handen vol, want daarnaast doet ze ook de boekhouding voor haar vent. En in de schoolvakanties gaan ze met dat hele gezinnetje naar hun buitenverblijf, ergens in de buurt van Cannes. Dan krijg ik ansichtkaarten – dikwijls dezelfde, want Vake vergeet soms wat ze mij 't jaar d'rvoor gestuurd heeft. En dat wij mekaar maar weer eens moeten zien, schrijft ze. Dat is ook zoiets raars. Elkaar blijven schrijven? Ja. Maar weergezien? Nee, in geen vijfentwintig jaar.

't Zal de afstand zijn. Ik woon nu in Limburg. Ja, ik ben toen verhuisd... 't Kon niet anders. Vake zit daar nog altijd ergens tussen Kortrijk en Doornik. En natuurlijk, Limburg, dat is verder dan Cannes; Limburg, dat is verder dan Zambia of Swaziland. In heel Vlaanderen zijn er sukkels die dat denken. En dat ze daar achterlijk zijn en nog in hutten wonen en alleen naar Belgacom gaan voor een nieuwe tamtam. Maar ik zeg: Limburg is de enige plek in dit land die deugt. Geen pretenties, niets van dat gedoe. 'k Ben verdomme blij dat ik daar indertijd met mijn zieke pa naartoe ben verhuisd. 't Is beter dat Eva dat allemaal niet weet, wat ik denk van Kortrijk en Doornik. 'k Ben verdorie bang haar kwijt te raken. Dan ben ik ook mijn verleden kwijt. Bovendien: Vake, echt waar, Vake is altijd een schat geweest. Waarom zouden wij haar anders zo genoemd hebben, met dat verkleinwoord?

Kijk, er waren twee soorten bijnamen: die mét en die zónder verkleinwoord. Voor de grote populariteit had je een verkleinwoord nodig. Ikzelf had eigenlijk nog maar een jaar mijn bijnaam. Sinds ik in de poësis *Mariken van Nieumeghen* had moeten spelen en daarvoor de ene pluim na de andere had gekregen van die van Nederlands, die wij het jaar daarop voor Engels zouden krijgen. Sindsdien noemden ze mij Emmeken. Dat is eigenlijk nauwelijks een bijnaam, want ik heet Emma, Emma Weemaes. Het is gewoon de naam die de duivel aan Mariken geeft, naar de eerste letter van haar voornaam. Maar kom, ik vond het helemaal niet erg om als Emmeken door het leven te moeten. Ik had nu tenminste ook mijn verkleinwoord.

Er was er één zonder bijnaam. Eén die – hatelijk is dat – gewoon bij zijn achternaam werd genoemd: Steenkiste. Hem lieten ze links liggen. Er zijn zo van die mensen – er scheelt absoluut niets aan ze en toch laat men ze links liggen. Steenkiste was zo iemand. Hij vond dat heel, heel erg. Zo erg dat ie zelfs zijn eigen bijnamen verzon. Noem mij dan Steno, zei ie. Of desnoods Steenpuiste! Hij had een hekel aan 'Steenkiste'. Maar zo bleven wij hem noemen.

Ik moet zeggen: mijn theorie klopt niet helemaal. Er was ook één leraar zonder bijnaam. Die van Engels. Die heette gewoon 'Die van Engels'. Op hem was de hele klas nogal gesteld. Maar wie het meest op hem gesteld was, dat was ik.

Ik denk niet dat die er morgen zal zijn. De leraren zijn niet geïnviteerd, schijnt het. Maar Steenkiste moet er zijn. God, maak dat Steenkiste komt.

Eigenaardig dat in al die tijd niemand uit mijn hoofd verdwenen is. 't Is nergens beter voor een klassenreünie dan in die kop van me. Hier, waar het geheugen zit, daar zit alle plezier, daar zit alle pijn van de hele wereld.

Ik vraag me wél af of er nog iemand is die af en toe aan míj denkt. Ik vraag me soms zelfs af of ik besta. Of dit restaurant bestaat. Of de wereld bestaat. En áls de wereld bestaat, dan vraag ik mij af wie daar de baas van is. Ik wil hem vinden. Ik wil hem vragen waarom ik zoveel heb betaald voor tweeënveertig jaar volpension.

In geen vijfentwintig jaar ben ik hier geweest. En die klassenreünie morgen, in mijn oude school, is dat wel tien kilometer ver? Minder, denk ik. In '76 waren er andere uitbaters en het restaurant was niet wat het nu is. Maar de naam is dezelfde gebleven: The Grange. En het is hier nog altijd even landelijk als vroeger. 't Is raar, want intussen ziet het er overal elders heel, heel anders uit. 'k Kan daar niet goed tegen.

Ik weet dat nog haarfijn, wat er destijds op tafel kwam: een kaaskroket en daarna Gentse waterzooi. Niet meteen haute cuisine, maar toch...

Er zijn zo van die intellectuelen, 'k heb daar echt geen goed woord voor over! Ze weten werkelijk alles van Shakespeare, John Donne en de Metaphysicals, ze kunnen hele gedichten van Emily Dickinson opdreunen, maar die ene keer dat zij in een restaurant komen, denken zij dat 'ris de veau' kalf met rijst is. Ik hou van lekker eten en van een goed glas. Maar nóg meer ben ik verslingerd aan mijn sigaretten. Lucky Star.

Híer – nee, niet hier, daarboven, in een van de kamers – heb ik mijn eerste sigaret opgestoken. Dat was al een Lucky Star. Ik heb nooit een ander merk gerookt. Nooit. Met Lucky Star is alles begonnen. Ik durf het nog altijd niet goed te vertellen en het is ook allemaal al zo lang geleden. Maar vooruit, onder ons gezegd en gezwegen, in feite ben ik op hem verliefd geworden toen ik niet eens les van hem kreeg. Dat was in de vierde Latijnse. Hij liep door de gangen van de school. Zo'n air van 'Mijn koninkrijk is niet van deze wereld'. Dromerige blik, beetje artistiek zwart krulhaar tot net onder zijn oorlellen, en – in tegenstelling tot zijn collega's – nooit een das. Wel gekleurde hemden en van die slobbertruien. Acht- of negenentwintig was ie. Ik was meteen verloren. En toen wij een jaar later Nederlands van hem kregen, werd het er natuurlijk niet beter op. Talen waren mijn lievelingsvakken. Ik werkte mij voor hem in 't zweet. Hij heette toen al 'Die van Engels', geloof ik, hoewel hij alleen in de hoogste klas Engels gaf. Engels. Vanaf zijn eerste les, een druilerige septemberochtend in de retorica, vond ik het de mooiste taal ter wereld.

Daar hadden wij vaak discussies over: Eva had een voorkeur voor Frans, Mieleke dweepte met Duits en Van Impke hield het op Nederlands, als het even kon nog het liefst het dialect van Erpe-Mere. Maar Engels was mijn taal. Ik zwom erin, ik wentelde mij erin. Bij elke voorleesbeurt was het alsof mijn hele lijf in mijn keel klopte.

Wij hoefden van hem dat jaar maar één boek te lezen: *Wuthering Heights*. Emily Brontë had dat geschreven, ergens halverwege mijn lievelingseeuw, de negentiende. En o, wat kon ik het goed vinden met die twee hoofdpersonages, met Catherine en haar duivelse Heathcliff, bestemd voor mekaar en mekaars noodlot. Net als ik overal ter wereld op zoek naar een plek om thuis te komen.

Pas in januari, denk ik, begon hij eindelijk iets te merken. Mannen zijn ziende blind als het op liefde aankomt. Achter de ramen van het klaslokaal dwarrelden sneeuwvlokken en hij vroeg mij na de les even te blijven. Ik dacht eerst dat ie me wilde voor 't schooltoneel. Maar hij wou een afspraak. 'Liefst zo snel mogelijk. Liefst de komende woensdagmiddag.' En nog wel bij hem thuis.

Ik wist dat ie getrouwd was, dat wíst ik. Ook dat ie een dochtertje van drie had. Maar toen ik daar aankwam, was hij alleen thuis. Op zijn krakkemikkige pick-up draaide hij platen voor me. Eerst iets klassieks, iets educatiefs. Om vertrouwen te wekken, zeker? Purcell. *Dido en Aeneas*: 'When I am laid in earth, [...] remember me, [...] forget my fate.' Hij vertaalde woord voor woord de tekst. Daarna iets wufters, iets van Tom

Waits. Whiskystem. Raspende keel met de littekens van driehonderdduizend sigaretten. Elke sigaret een vervlogen droom. 't Was precies alsof ie alleen maar strottenhoofd was, van top tot teen. Maar het lied dat hij zong, zal ik niet licht vergeten. 'Die van Engels' vertaalde opnieuw, woord voor woord. Hij kon 't lesgeven niet laten.

't Heet 'Martha', dat lied. Nog altijd kan ik het meezoemen. Ik heb mijn vader een luier omgebonden en daarna lig ik in mijn veel te grote bed, met mijn walkman op mijn kop. 't Is dan dat er iets eigenaardigs begint te kriebelen in mijn onderbuik.

Het is een lied over liefde van vroeger. 'Vroeger' was toen al 't enige wat ik had, en ik was niet eens achttien. Wat dat betreft is er in mijn bovenkamer niet veel veranderd. 'k Zou dat ook niet willen. D'r verdwijnt al genoeg. Na achttien houdt het meeste op. En ik die straks drieënveertig word: 'k mag er niet aan denken. Maar 's avonds, in bed, kan het soms gebeuren, gebeurt het meestal, dat ik 'Martha' meezoem. Met dat ding op mijn kop. 't Is een hele prestatie te behouden wat je had toen je achttien was. De rest mag je rustig verliezen.

Ik heb een walkman gekocht omdat ik stil moet zijn voor mijn vader. Mijn vader gaat dood. Al twintig jaar is hij aan 't doodgaan. Zeg maar dat het een werk van lange adem is. En mensen die doodgaan mag je niet storen. 't Zijn precies artiesten. De dood verdraagt dat niet, lawaai.

Hierboven, aan de tuinkant, heeft het zich afgespeeld. 't Was de laatste vrijdag van mei, rond de tijd van mijn verjaardag. 't Is nu weer mei en ook nog eens 2000. Ze zeggen dat dat iets aparts is, maar 'k kan dat niet geloven. En trouwens, mijn beste meimaanden heb ik gehad.

'Die van Engels' zei: 'Ik trakteer je op een etentje in The Grange.' Had ik nog nooit van gehoord. Ik wist niet hoe ik het had. En hoe moest ik dat thuis verkopen, aan mijn vader? Mijn moeder was toen allang dood. Haar heb ik nauwelijks gekend. Ze stierf toen ik vijf was. Op slag werd mijn vader daardoor tot levenslang veroordeeld. Ah ja, hij moest plots ook moeder spelen, hij was de kostwinner, hij moest erop toezien dat 't huis geen zwijnenstal werd én hij was verantwoordelijk voor 't wassen en 't plassen, want ik was nog te klein. Maar borden en glazen afdrogen heb ik snel genoeg geleerd! Allemaal in mijn eentje, want ik was enig kind. Geen sprake van dat ik daar, al was 't maar één keer, onderuit kon komen. Mijn vader was streng, en hij zei niet makkelijk ja. Ook niet toen ik al zeventien was. Vooral toen niet. Een lieve vent, maar bang zijn dochter te verliezen natuurlijk. Welnu, hij heeft haar mogen houden. Maar dat het zo zou gaan, dat had ie waarschijnlijk niet gewild. Met die ziekte die toen al aan hem begon te knagen en die erger en erger werd en waarvan ze nooit goed hebben geweten wat het nu eigenlijk was. Iets met geleidelijke spierverstijving in elk geval. Eerst was 't MS, dan was 't weer iets anders, iets dat ik vergeten ben, en ten slotte hadden ze geen enkele naam meer over die ze d'r nog op konden plakken. Enfin, die vrijdagavond kreeg ik van hem gedaan dat ik zogezegd met Eva en Mieleke mee mocht naar een klassiek concert. En dat ik daarna zou overnachten bij Van Impke, van wie de ouders *helaas* geen telefoon hadden.

Ik kom binnen in The Grange of 'La Grange', zoals ze hier zeggen, en 'Die van Engels' heeft werkelijk aan alles gedacht. Martini buiten op het terras. Wandelingetje rond de vijver. Arm om mijn schouders. Cadeautje openmaken, onder de treurwilg nota bene. De verzamelde gedichten van Emily Dickinson.

En dan naar binnen voor de waterzooi.

Hij is zo lief. Van Zichen-Zussen-Bolder tot Oostende en verder nog, het kanaal over, Dover voorbij, verder noordwaarts naar Yorkshire, naar de Moors van *Wuthering Heights*, nergens is er een lievere vent te vinden. Hij buigt zich over de tafel, neemt mijn handen in de zijne en telt mijn vingers.

'Twee,' zegt ie, 'over twee jaar ben je verloofd.'

'Drie. Over drie jaar ben je getrouwd met een man uit duizend, een die 's ochtends je boterhammen smeert en koffiezet.'

'Vijf,' zegt ie, 'over vijf jaar krijg je een kind, een dochtertje zoals ik er een heb, en je zult haar een Engelse naam geven en haar later de gedichten van Dickinson leren kennen: "If I can stop one heart from breaking, I shall not live in vain." Apetrots zul je op haar zijn.'

'Tien,' zegt ie, 'over tien jaar, Emma, zul je deze plek en deze avond vergeten zijn, en vooral: je zult mij – goddank – voor altijd vergeten zijn.'

Ik heb gelukkig maar tien vingers. Ik weiger hem te geloven. 'Tien,' zeg ik, 'over tien jaar wil ik hier met jou terugkomen, en ik wil precies hetzelfde eten en precies dezelfde zijn. Oké, dan ben ik achtentwintig, maar dat is mijn lichaam. Niemand is verantwoordelijk voor zijn lichaam. Achttien is wat ik altijd wil blijven.'

Ik schrik van mijn eigen woorden. 't Is de wijn.

Hoe ik daarna hierboven verzeild ben geraakt, god mag het weten. Maar – niet te geloven – hij heeft aan alles gedacht. Op het bed, ik bedoel op 't hoofdkussen, ligt dat gedicht: 'If I can stop one heart from breaking.' Hij heeft het overgeschreven in dat handschrift dat ik zo goed ken van 't schoolbord. Maar wat mij vooral opvalt, is wat ernaast ligt: een magnifieke witte nachtpon met kanten biezen aan kraag, manchetten en onderkant. Straks moet ik nog mijn eerste communie doen. En hij commandeert mij, zoals ie dat ook in de klas – progressief of niet – zo goed kan; hij commandeert mij met zo'n poeslief maar gedecideerd gezicht die nachtpon aan te trekken. En in de kortste keren sta ik daar, spiernaakt. 't Is voor de maand mei al redelijk warm, maar ik, 'k heb overal kippenvel, op mijn armen en mijn benen en overal elders.

Mijn hoofd: hoe kan ik het beschrijven? Iemand heeft daar vijfhonderd volt door gejaagd. 't Is vooral hoe wij daar op de rand van dat bed zitten: ik in mijn eerste-communietuniekje, hij met nog al zijn kleren aan. 't Schijnt dat dat niet bestaat, een naakte vent. 't Schijnt dat het altijd hetzelfde liedje is. Ook als een vrouw al-lang helemaal is uitgekleed, moet een vent per se iets aanhouden, zijn sokken of een hemd of een onderbroek tot aan zijn kuiten. Want áls ie zijn kleren uitdoet, dan blijft er niets meer van hem over. En áls ie dan uiteindelijk naakt is, dan zit hij toch nog in adamskostuum. Een vrouw voor wie 't in de liefde echt menens is, die is in staat haar vel uit te doen terwijl haar vent d'r nog in zijn smoking bij zit. Maar kom, zo dacht ik toen natuurlijk niet.

Tussen de lakens noemt hij mij Emily en hij kust mij. En dan, 't is inderdaad mijn eerste communie en er is wat bloed bij. Hij heeft blijkbaar niet alleen mijn hart gebroken. Het doet pijn, overal, maar het is de fijnste pijn ter wereld. En tegelijk ben ik vertederd als ik zie wat hij ziet: dat het laken een beetje, een heel klein beetje rood gekleurd is. Want roder dan mijn bloed worden zijn wangen en zijn hals, net een ventje van zeven al, dat toch nog in zijn broek heeft geplast. Ik kus hem op een wang: 'Mijn klein kereltje toch!' Maar in mijn hoofd waait het, het zit daar vanbinnen vol woeste hoogten, en daarboven waaien ze, sirocco's, moessons, passaatwinden, zelfs cyclonen – al die winden die ik ken van aardrijkskunde, allemaal tegelijk.

Hij geeft mij een van zijn sigaretten: Lucky Star. Ik heb nog nooit gerookt en ik zit daar met mijn borsten bloot, kussen in de rug, asbak op de dekens. En hij naast me. Ik doe een trek aan de allereerste sigaret van mijn leven, de eerste van de driehonderd en zoveel duizend, en 'k voel mij een beetje lacherig. Alsof hier mijn leven en mijn dromen tot de allerlaatste in rook beginnen op te gaan, nu al – als dát niet om te lachen is. Ik blaas de rook in zijn gezicht en meteen moet ik zo hoesten dat ik bijna niet meer bijkom. Misselijk hol ik naar de badkamer. 'k Mag wel zeggen dat ik heel mijn leven door een aparte bril zie! Zeker weten! Die waardoor ik, zo goed en zo kwaad als dat gaat, ín de wc probeer te kotsen: de wc-bril.

Er zijn zekerheden die daar ontstaan zijn, dáár, in de buurt van de toiletpot, en andere die tussen satijnen lakens zijn bedacht. 'k Durf wedden dat wat boven de pot is ontstaan, je veel langer bijblijft. 'k Heb daar bewijzen van. Want één zo'n zekerheid, die dag, is dat ik hém nooit meer zal kunnen missen, geen minuut. Ik trek door en 'k ga terug naar zijn armen.

Er zijn zo van die maanden, altijd voor het einde van iets, en 't is alsof je alles wat je nog hebt, al kwijt bent. Voor sommigen is dat november, met zijn doden, of december, als er bijna geen licht meer is, behalve in de kerstbomen. Mij overkomt het altijd in mei en juni, wanneer de dagen het langst zijn en je bang aftelt hoe lang het nog duurt tot de langste dag. Van zo'n dag zou je willen dat er geen minuut verloren ging. Maar ja, tijdens de laatste minuut van de langste dag worden de dagen al korter en begint dus eigenlijk de winter al. En 't is dat waar ik niet goed tegen kan.

'tWas niet anders in '76, tijdens die laatste maanden van 't laatste schooljaar. Mieleke, Eva en de anderen vonden die heel erg, want zij moesten hard studeren en d'r was altijd wel iets. Ofwel regende het, en dat werkte deprimerend bij hun Latijn, ofwel was het te heet en dan drupte hun zweet op hun algebraïsche vergelijkingen of op hun tabel van Mendelejev. Voor mij bestonden er geen mooiere maanden dan mei en juni. Alleen, ze mochten niet voorbijgaan. En dat was nu precies wat ze van alle maanden het snelst konden: voorbijgaan.

'Die van Engels' zag ik nog geregeld, meestal op woensdagmiddagen, hoewel niet meer zo vaak als voordien. Er was niets veranderd: voor de anderen was ik Emmeken, voor hem Emily. Hij bleef voor mij 'Die van Engels', zelfs als ik aan ons bed dacht. Maar dat bed was er nu dus niet meer bij. Probeer je vader maar eens te vertellen dat je 's avonds naar de *Brandenburgse concerten* gaat als je 's anderendaags tijdens een examen wiskunde moet bewijzen dat je nog altijd de beste van de klas bent.

Maar examen of niet, in die tijd begon ik aan mijn dagboek. Dat was tegen 't voorbijgaan. Ik kon er van bij 't begin alles in kwijt. En vreemd genoeg was dat de beste manier om alles te bewaren. Dat dagboek houdt mij jong. Ik heb er altijd van gedroomd een nieuwe Emily Brontë te worden, maar dat zit er niet in. Ik zie dat zelf ook wel. Ik weet niet hoe het komt. Misschien is het toch die taal die mij niet ligt. Af en toe probeer ik nog wel eens sprookjes en kinderverhalen in 't Engels, waarschijnlijk ook tegen het voorbijgaan. Maar nee, dat is hetzelfde niet.

In mijn dagboek staat dat ik iemand van uitersten ben. Dat ik bijvoorbeeld altijd van mijn vader zal blijven houden en altijd van 'Die van Engels'. Maar er is er een bij wie opvallend veel 'nooit' staat, en dat is Steenkiste. Waarom? 't Is om alles wat ie mij heeft aangedaan, daar, in die laatste maand van de retorica.

Steenkiste was al twee jaar smoor op mij eer hij dat durfde op te biechten. Jammer genoeg deed ie dat uitgerekend in de tijd dat ik rondliep met een kop vol maneschijn en met mijn neus in de wind. Jonge meisjes zijn er soms moeilijk van te overtuigen dat zij ook nog een reet hebben.

't Was tijdens een van Vakes spaghettifuiven. Van al die chianti had ik een grote bek gekregen. Maar los daarvan: ik denk nooit dat zo'n droge haring bij mij succes had kunnen hebben. Soit. Feit is dat ie me mijn lompe afwijzing verschrikkelijk kwalijk nam. Hij zou mij wel vinden, zei hij. Of nee, eerst deed ie triest, probeerde hij nog wanhopig de beste truc van die dagen: dromerig in de verte staren, blik op sterren die er niet waren. Enfin, zoals dat toen in de mode was bij mensen van die generatie. De wrok kwam pas daarna. Toen bleek dat zijn blik op de sterren niet volstond voor een bed met mij erin.

Vanaf de eerste dag na de spaghettifuif stopte hij mij in de klas briefjes toe met smerige allusies op 'Die van Engels'. Dat wist ie dus al. Vraag mij niet hoe. En natuurlijk hoopte hij dat Mieleke of Van Impke of Simca – Simca vooral, die onverbeterlijke klikspaan – een van die briefjes zou onderscheppen. Maar dat gebeurde niet.

Hij had ook tekentalent, Steenkiste – olala. Op een van zijn papiertjes stond Mariken van Nieumeghen afgebeeld, perfect gecalqueerd uit het handboek Nederlands, en Moenen, de duivel, die leek natuurlijk als twee druppels water op 'Die van Engels'. Ik wist niet hoe ik me moest houden. Vooral niet toen ie 't ook tijdens Engels probeerde. Dat was het ergste. Dat ik tijdens de les Engels een briefje kreeg waarin zwart op wit stond dat de vrouw van die daar vooraan, dat Lam Gods daar, maar eens moest weten welk vlees zij in de kuip had. Vraag me niet hoe hij zoveel wist. Ik denk dat verliefdheid iemand geslepen maakt, en wreed. Dat vooral: onnoemelijk wreed.

Het einde van het schooljaar was er nog sneller gekomen dan ik al had gevreesd. 't Was proclamatie. We stonden daar in groepjes, allemaal met een vruchtensapje of een glas goedkope blanc de blancs. Van sommigen waren de ouders er en soms kwam een leerkracht ze een hand geven. Mijn vader was er niet, ik weet niet meer waarom. Wij stonden te tetteren over wat we gingen doen of worden en we maakten daar grapjes over. We waren, denk ik, een beetje verlegen met al die toekomst. We waren, vrees ik, vooral droevig. Mieleke wou als vertegenwoordigster in de zaak van haar pa. Ach ja, beter dat dan dag in dag uit secretaressewerk. Vake wou Frans studeren en trouwen met een rijke stinker en dan zo snel mogelijk naar de Côte d'Azur. Maar ik zag haar twijfelen. Net als wij allen was ze amper achttien en niet eens zeker dat het haar zou lukken. En achttien, dat is toch de enige leeftijd waarop je niet mág twijfelen.

Van Impke was verreweg de gelukkigste. Zij wist het nog niet, zij had nog altijd niet gekozen. In haar waren nog hoge bergen. De Mont Ventoux of de Tourmalet, dat kon nog. Die lagen om zo te zeggen in haar schoot. Maar in haar ogen zat Ollie. Ik kon – echt waar – in haar ogen de kinderen tellen die zij met Ollie wou krijgen. De toekomst is iets zots. Men zegt dat, als mensen droevig zijn, het om hun verleden is. Geloof ik niets van. Het is om hun toekomst. Droevige mensen hebben geen talent voor toekomst.

Het is zwoel, dreigend weer. Zolang ik op school heb gezeten, is het aan het eind bijna altijd zo geweest.

Steenkiste staat verderop met Simca. Hij heeft, voor zijn doen, veel noten op zijn zang. Ik zie zo van opzij dat ie af en toe in mijn richting kijkt, maar 'k gun hem geen blik. Wat meer is, ik gun hem ook geen toekomst, de droge haring. Wat er van die twee, van Simca en van Steenkiste, gaat worden? 't Is misschien lelijk van me, maar dat kan me nu eens geen zak schelen. En dan, plots – 'k heb er al de hele avond naar uitgekeken – komt 'Die van Engels' langs.

Ik kan niet zeggen dat ie de fraaiste plek heeft uitgekozen. Ik sta in de zo goed als lege fietsenstalling met de rug tegen de muur en hij hoeft zijn mond niet open te doen. Ik weet het al. Het feest is voorbij. Vanaf nu zijn alle feesten voorbij. Zijn vrouw, zegt ie. En dat ie 't zelf ook niet meer wil. Voor zijn dochtertje. Voor zijn baan. Voor de lieve vrede. Vrede, dat woord is in '76 al bijna uit de mode. In de verte rolt de donder. 'Het spijt me,' zegt ie. Geen moment moet ie blozen. Hij probeert nog een zoen op mijn wang, maar ik weer hem af. Het laatste wat ik van hem zie is dat ie in zijn Simca stapt – in zijn *Simca*, jezus, ook dat nog! – en dat ie uit het schooljaar en uit mijn leven verdwijnt. Daarna breekt het onweer pas goed los en zet ik het op een rennen.

Sindsdien ben ik nooit meer opgehouden met rennen. En altijd in dezelfde richting hé: weg, weg, weg daarvandaan. Nooit ergens naartoe. Ik had met brio mijn diploma behaald, maar voelde mij te lamlendig om daar iets mee te doen. Aan verderstuderen dacht ik helemaal niet. Mijn vader mopperde daar af en toe over, maar veel hielp dat niet. Ik kwam het huis ook niet meer uit. Alleen voor boodschappen. Naar een bal of een fuif of zo – vergeet het maar. Trouwens, dat was alleen maar goed voor iemand die aan de man wilde komen en van mannen wilde ik juist niets meer weten.

Ik begon ook raar te doen. Hele dagen in mijn kamer zitten. Niet meer eten. Of juist wel eten, kilo's en kilo's van hetzelfde. Een weekje appelen, een weekje bananen – tot daar aan toe! Maar er waren weken bij dat ik alleen maar repen chocola verslond, en niet om het even welke: altijd melkchocola van hetzelfde merk, met kokosvulling. En roken! Tot drie pakjes Lucky Star per dag. Zoveel, dat mijn vader – zelf een en al ellende – soms zei: 'Je zult nog eens je eigen lijf oproken. Mijn meisje, wat scheelt er toch? Wat is er toch met ons aan de hand?' Maar je kunt je zieke vader dat toch niet uitleggen, wat er scheelt. 't Was geen anorexia, geloof ik, 't was alleen maar trouw willen blijven, trouw, trouw, trouw aan altijd hetzelfde: bananen, chocolade, niets. 'k Was in de rouw en 'k had besloten dat te blijven. Want rouw en trouw, dat is maar één letter verschil. Wie rouwt, blijft trouw aan wat hij heeft verloren.

Op een dag kwamen ze me halen. Een halfjaar na mijn retorica. 't Schijnt dat ik moedernaakt in de tuin stond. Eind januari. Dat ik mijn schaamhaar aan het bewerken was met een verfkwast en mercurochroom. 't Schijnt. Zelf herinner ik mij daar niets van. Ze hebben bijna twee jaar nodig gehad om de zotheid uit mijn kop te jagen, maar toen ik eruit kwam, uit dat gesticht, toen was die er ook goed uit. Emma, zei ik bij mezelf, Emma Weemaes, nu niet bij de pakken neer blijven zitten. Je vader is er ook nog. 't Was echt maar een kleine moeite om hem over te halen dat wij naar Limburg moesten, weg, ver weg van de schande.

Ik dacht dat er niemand was die zo goed kon vluchten als ik. Ik was al uit mijn jeugd weggevlucht, ik was al in mijn dagboek gevlucht, naar de zotheid in mijn kop – waarom nu ook eens niet naar Limburg? Maar kunt u mij geloven: hoe verder ik vluchtte, hoe liever ik terug wou. Een mens raakt verslaafd aan de plekken waar hij de ergste klappen heeft gekregen. Alsof ie daar nog iets te regelen heeft, alsof ie enkel daar bestaat. 'Pas als we ze kwijtraken, beseffen we welke dingen we hadden.' Ik heb dat ergens gelezen. Ik denk dat wie de wereld heeft gemaakt, ik denk dat ze ook die eens de zotheid uit zijn kop mogen jagen. Met 'k weet niet hoeveel volt.

Eva kan niet zo goed schrijven als ik. Maar ze kan even goed dromen. Ik zie dat soms dwars door haar dt-fouten en haar verkeerde bijzinnen heen. En dan, wat doen dt-fouten ertoe in een dorp nabij Cannes? Ze heeft me onlangs een brief geschreven. Eens iets anders dan zo'n stomme ansichtkaart van de Carlton, waar ik er nu al drie van heb. Ik denk dat ze pas een spaghettifuif heeft gehad met te veel rode wijn van de streek. Zo openhartig heb ik haar nu nog nooit meegemaakt. En zo nostalgisch. 't Is misschien raar dat je in Cannes ook heimwee kunt hebben. Dat je heimwee kunt blijven hebben, zelfs als je zogezegd gearriveerd bent waar je altijd al had willen zijn. Ik snap dat. Ik snap dat maar al te goed. 't Is heel ver naar huis.

Ik ben serieus ondersteboven van die brief. Voor het eerst in al die jaren heeft zij het daarin over Steenkiste. En vooral over 'Die van Engels'. Steenkiste heeft haar de ogen geopend, schrijft ze, en zij is hem daarvoor nog steeds dankbaar. ' "Die van Engels" rijdt niet alleen in een Simca, hij vrijt er ook mee,' had ie haar gezegd en daar had ze verder geen tekeningetje bij nodig.

In heel die brief geen woord over mij. Waarom heeft Steenkiste vijfentwintig jaar geleden tegen Vake blijkbaar alleen over Simca geklikt? Of had 'Die van Engels' me pas ná Simca en ná Vake en ná god weet wie aan de haak? 'Steenkiste,' schrijft ze, 'ik ben blij dat die jongen er was. Zonder hem was ik nooit zo makkelijk uit de put geraakt. Want dat hart van me, daar was werkelijk fricassee van gemaakt. Zonde, dat wij zo verkeerd waren en hem allemaal een droogpruim vonden. Maar van de hele klas is hij misschien de enige die niet onder zijn diploma begraven ligt. En ook een schrijver, hé, net als jij. En nog altijd vrijgezel. Weet je dat hij tegenwoordig reisgidsen schrijft? Dat hij een groot kenner is van Argentinië, Brazilië en Peru? Andere koek hé, dan Kortrijk of de Côte d'Azur?'

Wel tien keer heb ik die brief gelezen. En na de tiende keer ben ik beginnen dromen. Niet van die sentimentele schobbejak van Engels, die zo goed de vermoorde onschuld kon spelen, o nee. En ook niet van de liefde, van mijn eerste communie die eigenlijk mijn laatste was. Want liefde, hou erover op. Wie iemands hart steelt, is de allerergste dief. Omdat hij dat hart eerst moet breken. Anders krijgt ie het er niet uit. Nee, ik ben beginnen fantaseren over Buenos Aires en Rio de Janeiro, over Montevideo en Santiago. En over Steenkiste.

Op alle plekken waar die geweest is en ik niet: op al die plekken had ik willen zijn. Er is geen erger heimwee dan dat naar plekken waar je nooit bent geweest. Ik had op het carnaval in Rio willen zijn, en dat is ver, of aan het strand van Montevideo, en dat is ver, of in Santiago, op de heuvel van Santa Lucia. Zo ver had ik willen zijn, en overal tegelijk. Ver is de enige plek waar ik thuis kan zijn. En misschien had ik daar met Steenkiste moeten zijn.

Ik heb een dagboek bijgehouden, ik heb zo goed en zo kwaad als dat ging kinderverhalen geschreven, ik heb vijfentwintig jaar gereisd, maar alleen in mijn hoofd. Steenkiste heeft al die tijd geweten waar je naartoe moet. Naar plekken buiten je hoofd. Daar waar je je hoofd kunt verliezen. Alleen wie zijn hoofd verliest, voelt zich goed in zijn vel. God, alstublieft, maak, máák dat Steenkiste morgen komt.

'Hij zal niet komen,' zeggen ze. 'Máár Emma toch, weet je wel wat dat is, een kwarteeuw? Denk je nu echt dat ie nog om je geeft, nu, in 't jaar 2000 en een beetje? Die heeft intussen allang een andere, misschien meer dan één, één in elk werelddeel: een andere en een jongere.' Dat zeggen ze. En aan hun stem hoor ik dat het hun heel veel plezier doet dat ze dat kunnen zeggen. 'En à propos,' zeggen ze, 'dat van je vader, in godsnaam, hou daar ook maar mee op. Máár Emmaatje toch! Dat geloven wij allang niet meer. 't Is waar dat je goed kunt vertellen, maar je mag nog zo goed kunnen vertellen: 't zal d'r absoluut niets aan veranderen, dat ie al tien jaar dood is, je vader.'

Maar dan is 't mijn beurt. Dan vraag ík ze: 'Wie, wíe is er hier al tien jaar dood? Steenkiste? Ikzelf misschien, ik, Emma Emily Weemaes, ook Emmeken genaamd? Of al die anderen, zijzelf in 't bijzonder, zij die geen tien jaar dood zijn, geen vijfentwintig jaar, maar misschien al zo'n dikke tweeduizend jaar, tweeduizend en een beetje!' Wat zij wel denken, vraag ik ze, waar ze dat halen, vraag ik ze, dat Steenkiste niet zal komen? Maar 'k mag vragen wat ik wil, zij geven niets toe, zij blijven smiespelen en smoezen en fezelen, ergens in een achterhoekje van mijn hoofd. En 't blijft daar niet bij. Van fezelen wordt het schreeuwen en van schreeuwen bulderen. Dat het vandaag weer de laatste vrijdag van mei is, dat het met mij elke laatste vrijdag van mei hetzelfde is – dat bulderen ze. Alsof ik, Emma Emily Weemaes, ook Emmeken genaamd, dat niet weet, dat het de laatste vrijdag van mei is. God nog aan toe, als er één is die dat weet, dan ben ik dat wel. Want dat is nu juist de reden, dat en niets anders, dat Steenkiste wél zal komen, dat Steenkiste niet anders zal kunnen dan te komen. En dat is nu juist de enige reden, dat mijn vader niet dood is, maar nog altijd aan 't doodgaan is, al vijfentwintig lange jaren.

Ze denken altijd dat ze 't beter weten. En dat ze per se moeten telefoneren. Dat ik gevaarlijk ben, zeggen ze. Gevaarlijk! 'Die van Engels' was gevaarlijk. God is gevaarlijk. Dat weet ík. En dat weet Steenkiste. Steenkiste zal me komen halen. Dat zeg ik. En hij zal mij meenemen. Niet naar daar, nee. Naar Oeroegwaai. 't Is daar altijd zomer, in Oeroegwaai, en als 't geen zomer is, dan is het er altijd mei of juni.

Ik kan hem horen. Ik denk dat ie daar al is.

Steenkiste, Steenpuiste, Steno, Steentje!

Oeroegwaai.

Oeroegwaaaaai!

Marion

Een koe is een koe en een kut is een kut. 'k Moet daar niets van weten, van gasten die rond de pot draaien. Niets is zo belangrijk als mijn kut. Niets. 'k Heb de kut – ik bedoel míjn kut en niet die van Stefanie of Julie – maar echt ontdekt op mijn elfde, een paar dagen na mijn plechtige communie. Mijn pa was dan al 'k weet niet hoe lang ribbedebie. 'k Lag fijn in bad. 'k Had net 't water laten weglopen en 'k was zo'n beetje aan het friemelen aan mijn lijf. En op de rand van 't bad: mijn ma haar antiek zilveren handspiegelke. Dat had geld gekost, maar geld was geen probleem voor zo'n chique madam. Ze liet altijd van alles rondslingeren: haar bracelets, haar colliers en haar ringen, haar body's en haar speciale lingerie van den avond ervoor. D'r was bij m'n ma nogal dikwijls 'nen avond ervoor'. Al van kort nadat mijn pa ribbedebie was.

Mijn kut lijk ik die toen in dat spiegelke gezien heb of liever 'bespioneerd', bespioneerd en bestudeerd: dat was minstens een doodshoofdspin of ne schorpioen. 't Was van naderen en mij rap terugtrekken, toch nog curieus zijn en dichter en dichter en dichter willen komen met mijne kop boven dat spiegelke, en dan – fuck! – den daver op 't lijf, peinzen dat dat iets is dat u zal bijten, en 't is verdomme uw eigen kut.

't Was niet normaal dat ik er daar zo lelijk uitzag. Niet dat ik wreed katholiek ben opgevoed, bijlange niet; die plechtige communie, dat was allene maar geweest om mee te doen. Maar 'k was er echt van overtuigd dat er iets aan mij scheelde, dat dat niet mogelijk was dat ne mens, allez een meiske lijk ik dat voor de rest toch gezien mocht worden en altijd meer dan proper gekleed was, dat een meiske tussen haar benen vanzelf zo lelijk kon zijn. Den duvel had zijn poten niet thuis kunnen houden. Den duvel had mijn kut verprutst: dat was 't. 'k Vroeg mij niet eens af of 't bij die van mijn klas, bij Stefanie en Sofie, ook zo erg was. 'k Had er nog nooit een van dichtbij gezien, maar 'k was er subiet zeker van dat de mijne van Poederlee tot Pollinkhove, van Reykjavík tot Dar-es-Salaam de lelijkste was, al kende ik die namen dan nog niet. Veel stond er niet op, shit nee. En dat maakte 't niet schoner. Ne verfrommelde portemonnee. Wat wild vlees met wat pluche links en wat pluche rechts. Eerlijk verdeeld, dat wel, maar 't was precies alsof 'k al begon te beschimmelen lang voordat mijne vervaldatum goed en wel verstreken was.

De goesting was direct over. 'k Durfde d'r niet meer naar kijken. No way. 's Nachts werd mijn kut een soortement fluorescerend teletubbieke op jaren. 't Kwam spoken boven mijn bed en 't vloog overal tegenop, tegen de luster en tegen 't plafond. En tegen de vensters, alsof 't naar buiten wilde. Maar 't wilde natuurlijk absoluut niet naar buiten en aan 't eind bleef het surplacen. Vlak boven mijne kop. Vlak boven het toppeke van mijn neus. En ikke scheel kijken, hoe donker dat 't ook was, binst dat het mij daar, met al zijn rimpels en met die wenkbrauwen van vier of zes haarsprietjes, zonder de minste compassie aan 't uitlachen was en ik van pure schrik mijnen asem inhield en 't zelfs niet in mijne pyjama durfde te doen.

't Is later veel en veel beter geworden. En lijk ik dat tegenwoordig bekijk, zeven jaar verder, moet ik zeggen: wat is er eigenlijk belangrijker dan mijn kut? Ja, liefde misschien, maar dat is meer iets voor in de boekskes. Dat is altijd van patati en patata en eeuwig trouw, tot puntje bij paaltje komt. Eeuwig in de rouw, ja! Zelfs Counting Crows of Live of Radiohead. Megacool! Daar ga'k echt van uit mijnen bol! Maar zo cool als mijn kut? Forget it! Vanaf 't moment da 'k daar goeie maatjes mee geworden ben, zijn d'r deuren opengegaan, veel deuren. En – oké – een paar keer heb ik d'r ook een serieus op mijn neus gekregen. Vooral – 'k geraak dat maar niet te boven – dienen ene keer. Want daardoor komt het dat 't de laatsten tijd toch weer wat minder botert tussen mij en mijn kut.

Wij zaten d'r bij ons thuis warm in. 'k Heb altijd alles

gekregen da 'k wilde en op de langen duur wilde ik niet meer wa 'k kreeg. Strontbedorven door mijn ma omdat mijne pa weg was en omdat ik d' enige was. Zelf was ik daar dan nog te jong voor, om weg te lopen. 'k Had dat al van kinds af willen doen, maar 'k bleef toch zitten en 'k werd stillekensaan al zestien.

't Enige wat mijne pa achtergelaten had, was zijne groene *Michelin* van België, zo lijk om te zeggen: 'Ga ook maar weg, komde gij maar naar mij.' 'k Zat daar dikwijls in te bladeren. Veurne: één ster. Ieper: één ster. Lier: twéé sterren. Leuven: twéé sterren en zelfs drie voor zijn stadhuis. Gent: drie sterren. Brussel: drie sterren.

'k Ging niet weg, nee, maar vanaf dienen tijd, in de weekends, zat mijn hand wel tot een kot in de nacht in jongensbroeken te frutselen en ook al ne keer, maar minder, in een legging of onder zo'n latex rokske tot vlak onder 't gat. Hoe gortiger, hoe beter. Hoe viezer, hoe liever. Dat zelfs de meiskes van mijn klas riepen: 'Vuilen hutspot! Smerigen hutspot!' Mijn ma, dat was bon chic, bon genre. Die ging naar den opera of naar Anne Teresa De Keersmaeker omdat ze liefst ne vent met hersens in zijn ballen tussen haar lakens had. 'k Verstond dat niet. 'k Weet intussen alles van jongensbroeken en alles van ballen ook en 'k moet zeggen: ge voelt daar niet veel verschil tussen, tussen 't klokkenspel van ne gestudeerde gast en dat van enen van de vuilkar.

Dat ik alles kreeg wat ik wou, natuurlijk is dat niet waar. Mijn ma had al rap door dat ik, daar vanonder vooral, hoe langer hoe minder te temmen was. Van horen zeggen, zeker. Heel Deerlijk maakte mij zwart. 'Marion, ge moet niet peinzen dat g' iedere vrijdag en iedere zaterdag op de lappen kunt.' Of: 'Kindje toch, ge moogt niet vergeten dat er ook nog zoiets bestaat als nen diploom en 't verre schoppen in 't leven.' En dat ik, haar Marionneke, met mijn slechte manieren binnen de kortste keren in de goot ging eindigen. 'En van wie, van wie peinst ge dat ik dat allemaal heb?' vroeg ik. En dan stond ze daar, met haar salle à manger vol tanden. 'Van uwe pa,' dat durfde ze d'r niet uit te flappen. Al was daar misschiens wel ietskes van aan, ze besefte veel te goed dat er dan wat gezwaaid zou hebben. Mijne pa, 'k wist wel niet meer hoe die eruitzag en d'r hing natuurlijk geen portret aan de muur, maar mijne pa, die was heilig. 't Was in mijn ogen nen iets oudere jonge gast gebleven, lijk Eddie Vedder van Pearl Jam of Edward Kowalczyk van Live of Adam Duritz van Counting Crows.

't Is echt niet waar wat ge overal hoort, dat de afwezigen ongelijk hebben. Afwezigen hebben meestal gelijk. Om heilig te worden is 't nodig om weg te lopen. Salut en de kost. En nog iets: moest ze daar nu echt zoveel kabaal bij maken? 'k Leerde toch niet slecht? Oké, 'k had één jaar wat gesukkeld, maar dat was eigenlijk omda 'k vier, vijf maanden wreed ziek was geweest. 'k Kon voor de rest goed mee zonder d'r veel te moeten voor doen. 't Zat in mijn genen dat ik zelfs voor wiskunde redelijk was, en ja, 't zat ook in mijn genen dat ik vanonder inderdaad moeilijk te temmen was. Maar dat laatste was natuurlijk 't enige waarvan heel Deerlijk sprak. En dus ook mijn ma. 'k Had alleen vanonder grote onderscheiding.

't Zat mij tot hier dat ik altijd de beste van mijn straat, de beste van Deerlijk, allez, de beste van heel de santenboetiek moest zijn. Maar als 't dan toch niet anders kon, welja, ze moesten het maar weten: dan ook vanonder. Opvallen, dat was wat ik wilde. Met al mijn genen. Met al mijn rare kleren, die 'k zelf niet eens zo raar vond en waaraan d'r zekers nu, in mei van 't jaar 2000, allang niets raars meer is, zelfs in Deerlijk niet. Met een piercingske door mijn neus en ook eentje door mijne navel. En met een tatoeage van Homer Simpson op mijn schouder. 'k Deed soms nog van die wreed hoge plateauzolen aan: Buffalo's. Niet te doen! Ge hadt er gerust een standbeeld op kunnen placeren. Intussen heb ik die weggedaan. Maar zo zag ik mij nog het liefst, ja: als standbeeld. 'k Wilde per se dat iedereen zag dat ík daar stond, ikke, Marion, en niemand anders: 't Vrijheidsbeeld van Deerlijk.

Die fuif op ne zaterdag van vorig jaar. 't Zijn dan de laatste maanden van mijn middelbaar en in La Luna loop ik zo'n beetje te headbangen bij Pearl Jam. Beretof.

I'm ahead, I'm a man
I'm the first mammal to wear pants, yeah
I'm at peace with my lust
I can kill 'cause in God I trust, yeah
It's evolution, baby

'k Ga volledig uit mijn dak, 'k buk mij om mijn sigaret op te rapen, 'k wil mij rechten en – bàààng – met mijne kop tegen den elleboog van zo'n giraf met geblondeerd haar, scarbrows en een olijfgroene battledress op zijn bloot lijf. Ik zeg sorry, hij zegt sorry, 'k kijk recht in zijn ogen, en 't is eigenlijk direct beklonken. Tenminste, dat peins ik. 'k Heb hier en daar al wat gescharreld, een paar keer aan ne lul gezeten en ook vingers in dat raar scharminkel tussen mijn benen gehad, zelfs halve handen, maar ik ben geen matras. Ondanks mijn grote onderscheiding vanonder heb ik het verwonderlijk genoeg nog nooit echt gedaan, met genen enen typ. Groten bek en maar een klein hartjen. Alles durven, maar dát niet. Enfin, 't begint zo stillekensaan de monument te worden. *Just do it*, spookt het door mijne kop. 'k Ontplof bijkans van d' adrenaline. Maar hij draait zich om, gaat aan den bar nog wat met nen anderen gast klappen, vezelt iets in zijn oren, moffelt iets in zijn zakken. En weg is ie, foetsie. Ribbedebie.

't Is al een gat in den dag als ik onder mijnen dons kruip. 'k Ben van plan zo rap mogelijk La Luna en die geblondeerde giraf uit mijne kop te zetten en ne keer goed te maffen, maar voor 't eerst achter al die jaren hangt ze daar weer boven mijn bed te surfen lijk zot. En weer surft z' overal tegen: tegen 't plafond, tegen de luster en tegen de vensters. Weer blijft ze surplacen boven het toppeke van mijn neus en moet ik scheelkijken. 'Koest,' zeg ik, 'koest.' En 't is of ze naar mij luistert, want ze lacht mij niet meer vierkantig uit. 't Is een heel serieus soort kut geworden, een met wreed veel haar op, een waarmee al te raisonneren valt. Grote mensen onder mekaar. Een die niets liever wil dan dat iemand ze 'juffrouw' noemt.

Maar dat haar! D'r staat nu echt wel veel te veel haar op naar mijn goesting. 'k Ben nog niet heeltegans wakker en 'k scheer 't er, zonder pardon, allemaal af. Om precies te zijn: boven mijn ma haar spiegelke en met hare ladyshave. 't Doet nog zeer ook. En 'k heb al nen houten kop. Maar allez, een kale kut, dat kan d'r nog bij.

't Gebeurt soms, als 't nogal slecht weer is en als ik wat triestig ben of mij door God en klein Pierke in de steek gelaten voel, dat ik naar Kortrijk ga, naar schoenwinkels kijken in de stad. Dan ga 'k in de Voorstraat of in de Lange Steenstraat voor d' etalages staan, met mijne walkman op. Een en al bewondering voor al dat leer, al dienen daim, dienen rubber en dienen nubuck. Een en al verering voor de Air Maxen van Nike en voor de

Vans' of de Globes. Zelfs voor die oerdeftige Prada's. Allemaal schoenen met toekomst. 'k Ga bijkans nooit naar binnen om d'r een paar te passen: daar is 't mij niet om te doen. Maar – hoe zal ik het zeggen? – 't fleurt mij een beetjen op als ik d'r naar kijk. 't Bedwelmt mij en 'k sta daar dan te filosoferen. Voor wiens voeten zijn ze bestemd? Waar zullen ze nog naartoe moeten? Zulke dingen. Maar ook: wiens kloteleven zullen ze moeten dragen, wie zullen z' in de ballen stampen en van wie zullen ze weglopen? En wie zal z' op nen schonen dag voorgoed van zijn voeten shotten en zeggen: "t Is nu wellekes geweest; geef mij mijn savatten maar, 'k ga nieverans meer naartoe of 't moest naar 't kerkhof zijn en daar hebde zelfs geen savatten voor nodig.'

Als ik daar naar mijn gedacht iets te veel van mijnen tijd mee verdaan heb, met al dat geprakkizeer over wat er nog allemaal staat te gebeuren, dan heb ik soms goesting om met mijne kop wreed hard tegen d' etalage te bonken, stomme trut da 'k ben. Lijk da 'k mij in ene keer realiseer: aan de toekomst peinzen, dat is voor wie d'r zelf genen meer heeft, dat is iets voor d' oude wijven.

Maar goed. Een paar dagen na La Luna. 't Motregent 'n beetje en 't is koud voor den tijd van 't jaar. 'k Sta daar inderdaad weer te dromen voor een van die etalages en al met ne keer voel ik – 'k hoor het niet, want ik heb mijne walkman op – al met ne keer voel ik dat er iemand achter mij staat. 'k Draai mij om en 't is de giraf. 'Wat komde gij hier doen?' zeg ik. 'Wat komde gij hier doen?' zegt hij. 'k Kijke pardaf in zijn ogen, en 't is direct beklonken. 'Kom mee,' zegt ie, 'daar moeten wij d'r enen op drinken. 'k Ken ieverans een keinijg café.' Wij drinken citroenjenever, veel citroenjenever lijk ze die in La Luna hebben, maar zijn zogezegde café is wel zijn eigen studiooke: hij heeft mij schoon liggen. 't Is daar een en al rubbish: overvolle cendriers, vieze slips en onderlijvekes van 't jaar nul, lege chipszakskes, lege colablikskes en – wreed curieus – ook oude strips over den oorlog en den Duits. Van Hitler en Goebbels en zo. 'k Laat het mij allemaal uitleggen, maar 't interesseert mij geen ballen. 't Is verdomme iets van vijftig jaar geleden. Vijftig jaar geleden, weet ge wat dat is? Mijn ma was begot niet eens geboren. Ge kunt evengoed van Juul César spreken. Evengoed! 'k Vraag mij af waar dat voor dient, zulk een lange memorie. Waarschijnlijk alleen om mee te stoefen.

'Ah, ge zijt gij geïnteresseerd in schoenen,' zegt ie, 'wacht, 'k zal u ne keer iets tonen.' 'Relax,' zegt ie, en hij trekt mijn combat shoes uit, pakt mijn voetjes vast en ie kust een voor een mijn tenen en ie gaat zo omhoog langs mijn kuiten en omhoog langs mijn knieën en omhoog, omhoog langs mijn billen tot ie is waardat ie zijn moet. 'Bergen beklimmen,' zegt ie, ''t is van 't liefste wa 'k doe, maar daar hebde goed schoeisel voor nodig. En ge moet het goed onderhouden.' Hij pakt een van mijn boots en houdt hem vlak voor mijn neus. Da 'k er bijkans scheel moet van kijken. D'r zit wreed veel rood in 't wit van zijn ogen. Zijnen asem stinkt naar alcoolpralines. 'Likken,' zegt ie.

'k Kon d'r echt niet genoeg van krijgen. Was 't verliefdheid? Ja en nee. 'k Peins dat 't vooral iets met mijn kut te maken had. Mijn kut was de max. Mijn kut was groter dan ik. Of neen, 'k had den indruk dat ik van boven mijne kop tot onder mijn voetzolen uit kut bestond. Kut, kut en nog ne keer kut. Dat mijn ogen en mijn oren, mijn armen en mijn darmen, mijn benen en mijn tenen daar allemaal onderdelen van waren. Dat zelfs mijn ziel met haar plechtige communie, met haar vierkantswortels en haar logaritmen en met al haar steden uit de groene *Michelin* daar maar een pietluttig elementje van was. En dat dat allemaal rijmde – dat ook – surtout als ie op mij lag te rampetampen, te bonken en te boren en mij met zijn fantastisch lijf de schoonste sterren van 't firmament liet zien.

Waarschijnlijk dat ze mij acht kilometers verder, in Deerlijk, konden horen jodelen en doedelen. Waarschijnlijk dat daar de sirenes afgingen omdat hun Vrijheidsbeeld in de fik stond. 't Was den eerste keer en ze zeggen dat 't dan nooit zo goed gaat. Ja, hallo!!! Ik was daar in elk geval subiet mee weg. Ge kon dat aan mij absoluut niet zien da 'k maar een debutantjen was. Behalve op zijne canapé. Bloed vaneigens. En bloed gaat d'r nooit meer uit als ge d'r niet rap bij zijt. 't Is mij, achteraf bekeken, nog nen troost.

Weglopen: bijkans was ik vergeten da 'k dat altijd al gewild had. Maar shit, werd ik daar toch geen achttien zekers en dus meerderjarig? 'k Was ervandoor nog voor ik 't mij goed en wel realiseerde. Mijnen diploom van 't middelbaar mochten ze gerust aan hun gat hangen. En al die klojo's en die troela's van mijn klas daarbij. Mijn ma natuurlijk lamenteren da 'k recht den dieperik in ging. 'k Had er nog plezier in ook. Ze had nu 't kot voor haar alleen en d'r stond gene pottenkijker meer bij als ze weer met ne verse chou of met den een of den andere nerd thuiskwam en voor de zesendertigste keer wilde bewijzen wat daar eigenlijk 't nut van is, van Anne Teresa De Keersmaeker of van Mozart. Voor de speciale lingerie, da's zeker, voor daar vanonder en voor niets anders! De kut van mijn ma, dat is nu ne keer echt een cultureel centrum. Dat ze daar nog altijd geen beschermd monument van gemaakt hebben! Niet dat ik tegen was, tegen al dat geleerd gedoe. Bijlange niet. 'k Vroeg mij alleen af waarom dat zij en haar venten daar zoveel tralala moesten van maken. Beesten moeten daar niet voor leren, voor seksjunk. Beesten hebben daar niet de minste miserie mee. Contrarie: 't is d'rop en d'r weer af, d'rin en d'r weer uit en ze zijn zij toch ook content?

Maar ja, 'k was zelf misschiens niet veel beter dan

ma. 'k Had willen weglopen naar iets met drie sterren in de groene *Michelin*, naar Gent of naar Brussel zelfs, want daar is 't dat 't allemaal gebeurt. 't Werd, ocharme, iets op amper een paar armzalige scheten. Naar Kortrijk! Dzjiesus, maar één ster, en misschiens nog één te veel. Of 't moest zijn dat 't er een voor zijn schoenen is. Ge kiest, in 't leven, uw sterren niet zelve. En als ge ze kiest, en als ge ze zelfs wilt strelen, dan valt ge vroeg of laat toch op uwen bek. Als ge dat maar weet.

Bon. 'k Nestel mij bij Bruno. 'k Zeg nu wel Bruno, maar 'k vond Bruno indertijd ne kutnaam, meer iets voor nen hamster en zekers niets voor een geblondeerde giraffe. Dus noemde ik hem Typ. Typ is een jaar of vijf ouder dan ik. Een vader of een moeder, daar heeft ie gene last van, want 't is er een van 't weeshuis, allez, dat zegt ie tenminste zelve. 'k Heb al direct door dat er iets niet in den haak is aan hem. 'k Ben d'r nog geen twee dagen bij en hij is, binst da 'k met één oog wagenwijd open lig te ronken, al met ne keer foetsie. 'k Peins: dat gaat hier toch niet ieder keer en voor de rest van mijn leven van 'tzelfde zijn, hé? Is 't er begot een reuksken aan mij da' z' allemaal om ter rapst van mij weglopen? 'k Doe geen oog meer toe. Maar tegen te zessen is ie daar weer, Typke, en 'k leg hem vaneigens zo op de rooster dat ie daar effekes niet goed van is. Hij wordt zelfs rood, mijnen baby in zijnen battledress, en niet alleen in zijn ogen. 't Moet dan toch wel zijn dat hij mij misschiens gaarne ziet. Rood is meestal 't bewijs, al is 't niet altijd zeker waarvan.

''t Zijn echt maar peanuts,' zegt ie. 'Kom dan mee,' zegt ie, 'als ge mij niet vertrouwt.' 'k Zit daar wat te dubben en met mijn duimen te draaien en na lang parlesanten zeg ik: 'Allez, 't is goed, voor ene keer.' 'k Knijp mijn kut bijkans fijn van de schrik. Maar van ene keer komt er nen tweeden en nen vijfden keer, lijk dat veel te dikwijls gaat.

'k Moest daar niets van weten, van XTC. 'k Weet niet hoe 't komt, maar 'k heb dat geprobeerd, ene keer, en 'k vond dat, echt waar, van den hond zijn botten. 't Was lijk da 'k meer was dan da 'k was en terzelfder tijd wist da 'k minder was. Maar allez, hij heeft mij verder ook nooit geforceerd en hij heeft, zelfs als ie op zwart zaad zat, nooit willen dealen. Never, jamais. Zelf bleef ik content met die paar citroentjes. Typ niet. Voor Typ was dat blijkbaar zijn lang leven, XTC. Dat was om uren en uren goed te kunnen dansen. Dat was om aan meiskes lijk ik te geraken, meiskes die verzot zijn op citroenjenever en die triestig kunnen zijn en dat ook willen zijn omdat venten van ne zekere leeftijd, al is 't maar drieentwintig, verzot zijn op meiskes die zelf verzot zijn op citroenjenever en wreed, wreed triestig kunnen kijken. Lijk dat ze iederen dag weer rendez-vous hebben met de maan en lijk dat ze dat zelf niet weten: dat de maan iets is in 't donkerste putteke van hun eigen vel. 't Zijn die meiskes die peinzen da' z' altijd hunne rendez-vous mankeren en die dan maar triestig, wreed, wreed triestig blijven kijken. Meiskes lijk ik.

Pertanks: wij deden soms zot. We bladerden soms in de groene *Michelin*. Om te zien waar we naartoe wilden. Lijk serieuze toeristen. Deerlijk staat daar niet in, in de groene *Michelin*. Deerlijk staat nieverans in. Ach, 'k versta dat wel. 't Is niet van 't schoonste en d'r zijn er die zeggen: 'Deerlijk, dat is maar deerlijk.' Maar 't was toch daar da 'k ooit met mijne pa had gewoond. En ze maakten mij daar misschiens wel zwart, maar ze hadden tenminste niet zoveel pretentie lijk in Kortrijk. Wat daar ook niet in stond, dat was de nacht met – als 't nen properen hemel is – veel meer sterren dan in diene hele *Michelin*. De nacht, dat vonden wij nog de grootste attractie van al wat er te zien is. Natuurlijk – 'k weet dat ook wel – is die overal 't zelfde, of dat nu in Veurne of in Leuven is, in Kortrijk of in Deerlijk. Maar 't is de nacht die mensen 't hope brengt op een manier lijk dat den dag dat niet kan en dat ook nooit zal kunnen.

D'r is in Deerlijk een verschrikkelijk goeie chocolaterie, waar dat ze nog pralinen van echte boter maken. 't Is daar, in de directe geburen, dat mijn mémeetje gewoond heeft, de ma van mijn ma. 'k Zeg nog: 'Nee Typke, please, daar niet!' Maar 'k heb mijn bakkes weer niet kunnen houden en diene pierewiet wil dat met alle geweld 'ook ne keer zien', waar mijn mémeetje gewoond heeft. 'Maar allez,' zegt ie, 'uw mémeetje is toch al nen tijd dood?' 'Mijn mémeetje is niet dood,' zeg ik. En als we buiten zijn, wijs ik naar boven: 'Kijk ze daar ne keer staan flonkeren, Mémeetje. Ziede nu wel da' ze niet dood is?' Hij schiet in zijne lach. Maar ikke niet. 'k Zit met den bibber op 't lijf en 'k ben d'r heilig van overtuigd dat mijn mémeetje naar mij kijkt en dat ze veel verdriet heeft en dat ze 't absoluut niet kan goedkeuren wat we nu gaan doen. Maar dat ze 't toch stillekens houdt. Omdat ik het ben, haar scheteprote.

Hij forceert het slot gelijk nen echten en in een-tweedrie is 't gelapt. 't Is al subiet lijk dat al diene chocola ons betrapt. Zo straf dat ie ons op den asem pakt! 's Nachts is wat ge hoort en wat ge voelt en wat ge riekt veel geweldiger omdat ge dan minder ziet. En surtout: ge fantaseert meer. 'k Sta nu nog meer te beven lijk een riet. Typ pielt met zijn pielelamp heel de winkel af. In den toog liggen ze te blinken lijk diamantjes. Tien, misschien wel vijftien verschillende soorten pralinen, allemaal met een prijskaartje: de zwarte schilderpaletjes, gevuld met pistachecrème; de galetjes; de Fabiola's; de Manons, in witte chocola, gedecoreerd met een okkernoot en gevuld met vanillecrème. En ook een heel assortiment met advocaat, cognac, Poire William, Mandarine Napoléon, noem maar op. 'k Weet niet hoe dat komt: op slag ben ik al iets kalmer. 'k Kan d'r niet van afblijven. Behalve op mijn mémeetje en mijn pa, op citroenjenever en op schoenen, op Pearl Jam, op sterren en vaneigens op mijn kut, ben ik ook nog ne keer – godse zottin – verzot op chocola.

Ik doe nen Manon in Typ zijn mond en hij duwt een Fabiola tot vlak tegen mijn verhemelte. W' eten ons te pletter aan de schilderpaletjes. We steken ons vol met Poire Williammen en met Mandarines. En dan valt 't licht van zijn pielelamp pal op de tafel nevens den comptoir. 'Kom,' zegt ie, en hij grabbelt nog rap een paar Fabiola's mee. Binnen de kortste keren lig ik zo bloot lijk ne pier op 't tafelberd naast den comptoir. 't Is waarschijnlijk geen zicht. Fullspeed weglopen met de kassa interesseert ons gene zak meer. D'r is hier maar één kassa die telt, en dat ben ik. En met een fameuze recette: d'r zit in genen tijd een Fabiola in mijn kut en ook nog eentje vanachter. 'k Ben heeltegans van chocola. 'k Gloei van de chocola. 'k Was al 't Vrijheidsbeeld en nu blijkbaar ook nog ne keer ons oude koninginne. En binst dat heel dienen boel serieus aan 't smelten is, hoewel 't daarbinnen toch maar friskes is, en binst dat de hele reutemeteut al in mijn spiksplinternieuw schaamhaar plakt, begint ie daar toch zo op mij te rampetampen da 'k voor de zoveelste keer al de sterren van 't firmament zie. 't Kan mij gene shit schelen als ze mij tot in Kortrijk kunnen horen brullen of als ze mij zot verklaren. 't Is iets raars, chocola.

Vanaf dan maakten wij d'r een spelleke van, van ons leven. Hij had zo'n krakkemikkig camionetje dat pruttelde lijk ne koffiezet die al in geen jaren ontkalkt is. Den ene keer bezochten w' een coiffeuse, den andere keer nen boetiek of een meubelcenter. Nooit ne schoenwinkel. Soms ging 't alarm af en dan moesten we zo rap mogelijk ons biezen pakken. Maar Typ had zo zijn trucs: meestal waren w' in een-twee-drie binnen. En dan was 't in een-twee-drie mijn alarm dat afging.

We trokken op tournee door Kortrijk en omstreken. 't Gebeurde regelmatig dat 't ons niets opleverde. 't Was ons niet om den comptoir te doen, maar om een divanneke hier of een paskotje daar. W' hebben het nog gedaan in nen instrumentenwinkel, boven op zo nen Steinway of hoe heten die keyboards van vroeger? Maar evengoed, misschiens nog beter, op nen diepvries van Germonprez en Zoons – Fijne Vleeswaren: heter dan nen metaaloven, alletwee, en maar een paar decimeters boven d' ingevrozen ossobuco's en d' ossentongen in maderasaus. De helen tijd loeide Pearl Jam door mijn hoofd en door mijnen buik en ook daar vanonder:

Here's a token of my openness
Of my need to not disappear
How I'm feeling, so revealing to me
I found my mind too clear
I just need someone to be there for... me
I just want someone to be there for... me

We hadden wel ons reglement: overal kwamen w' ene keer, niet meer. En overal déden we 't ene keer. Kwestie dat 't nieuws d'r niet te gauw van afging! Maar uiteindelijk ging dat er toch van af. 'k Heb altijd alles gekregen wat ik wilde en op den duur wilde ik niet meer wat ik kreeg. 'k Moet zeggen: al kwamen we voor de rest ons kot bijkans niet meer uit, zelfs niet voor den disco, we waren na een paar weken al redelijk op d' hoogte van de West-Vlaamse neringdoenders. Misschiens iets te.

Na veel vijven en zessen... Enfin: 't kwam d'r op neer dat ik besloten had niet meer met Typ mee te gaan. 'k Bleef pertanks echt verslaafd aan diene vent; 'k had hem met kop en haar kunnen opfretten en 'k wilde niet liever dan dat ie mij iederen dag bewees dat ie ook aan mij verslaafd was, erger dan aan XTC. 'k Had er alleen nog altijd spijt van voor mijn mémeetje. 'k Bleef haar overal zien, mijn mémeetje.

Nu dat ie d'r weer op zijn eentjen op uit moest, kwam d'r veel meer zaad in 't bakske. Allez, figuurlijk natuurlijk. Maar hij bracht ook alle soorten marchandise mee, die hij ooit, misschiens, als 't God beliefde, aan de man wilde brengen. Polshorloges, chique sacoches, pornobanden, babyfoons of gsm's – tot daar aan toe. Maar voor een paar zwaardere zaken lijk pc's hadden we bijkans geen plek meer in ons kot. 'k Vroeg mij eigenlijk af hoeveel plek d'r nog voor mij was. Geld is niet 't enige en 'k was ook niet op mijn achterhoofd gevallen; 'k wilde hem testen.

Waar mijn vader de laatsten tijd uithing, dat begon mij stillekensaan meer en meer t' interesseren. Aan mijn ma had ik dat niet moeten vragen. D'ailleurs, 't is niet eens zeker dat ze 't had geweten of 't had willen weten. Dus, als ie nog vlinders overhad in zijnen buik en als die vlinders voor mij waren en niet alleen voor mijn schoon ogen of voor mijn kut, dan mocht ie ze gerust ne keer laten vliegen. Da 'k ze kon zien.

Op nen ochtend, lijk gewoonlijk tegen te zessen, komt ie thuis en zegt ie: ''k Zal 't wel te weten komen.' 'Hoe dat,' vraag ik. ''k Heb zo mijn connecties,' zegt ie. Connecties wel, peins ik, maar geen kameraden. ''k Heb zo mijn connecties,' zegt ie, met nen lach lijk de Gioconda op de karamelledoos van mijn mémeetje. 'En d'ailleurs,' zegt ie, 'ge moet gij niet zo curieus zijn; 'k zal 't u subiet bewijzen, da 'k het kan en da 'k u geen blauwe blommekes wijsmaak.' Hij haalt iets uit zijnen binnenzak en – fuck! – 'k val bijkans achterover van 't verschot, 't is een antiek zilveren handspiegelke, zo goed als zeker dat van mijn ma. 'k Kijk d'r automatisch ne keer in en 'k zou zweren, 'k zou echt zweren dat 't niet mijn smoelwerk is da 'k zie, maar iets heel anders. Nog altijd genen beauty, maar allez.

Geen week later gebeurt het. Hij heeft nog een briefken

op tafel gelegd: 'Saluutjes'. 't Gaat al tegen den ochtend aan. 't Eerste uur peins ik: gene paniek, hij kan hier elk moment staan, 'k zal seffens wel zijn camionetje horen pruttelen. 't Tweede uur peins ik dat ie een andere en een betere getroffen heeft: zo'n bimbo misschiens, die daar ook niet vies van is, van XTC. En als dat waar is, dan is 't dikke shit. Dan zit ik hier weer schoon alleen met mijn kut. 't Derde uur peins ik: Marion, ge vangt ze; dat kan niet waar zijn, ze hebben hem te stekken. 't Vierde uur is 't gedaan met peinzen. D'r staat nen agent voor mijn deur. Veel details krijg ik niet.

'k Zal hem nooit meer te zien krijgen, mijne kameraad.

Hij moet toch echt zot van mij geweest zijn, meer dan zot, bezeten. 't Bewijs is er, maar 'k ben d'r vet mee. Hij is 't inderdaad te weten gekomen van mijne pa, en hoe! 'k Zou malheuren kunnen doen, 'k zou door de grond kunnen zakken van de schaamte dat ie 't, allene voor mij, enkel en allene voor mij, zover gedreven heeft. Van als dienen agent zijn gat gedraaid heeft, begin ik daar te roepen en te tieren: tegen de pornobanden, tegen de babyfoons en ook tegen die polshorloges van 'k weet niet hoeveel karaat, met hun onnozele minuten- en secondewijzers die altijd naar de verkeerde kant draaien, de kant die ge niet kunt stelen of kopen. Maar surtout begin ik te brullen tegen mijn kut. 't Zou mij niet verwonderen als ze mij tot in Deerlijk kunnen horen.

’t Is iets raars, chocola. Ze zeggen dat ge dat surtout naar binnen speelt als g’ iets tekortkomt. Ze zeggen dat ge zijt wat da’ g’ eet. ’t Kan goed zijn. ’k Peins dat er in chocola veel liefde zit. Misschiens liefde van in de boekskes, maar alla, d’r is waarschijnlijk geen andere. ’k Ben dat den dag van den agent beginnen te boefen, chocola, totda ’k er bijkans onpasselijk van werd. En ’t moet zijn da ’k kilo’s en kilo’s liefde tekortkwam, want ’k ben niet ’t minste grammeke bijgekomen. D’r zat een enorm gat in mij en ’t was kwestie dat op te vullen. Maar ’t lukte niet, shit nee. ’k Bleef zitten met mijnen honger. ’k Stak van alles in mij, maar ’t gat bleef ’tzelfde. Contrarie: ’t werd groter. ’k Had echt den indruk da ’k van boven mijne kop tot onder mijn voetzolen allene maar een heel diep gat was. ’k Kreeg verdomme hoogtevrees van mijn eigen gat.

’k Ben niet naar de begraving willen gaan. ’t Zal daar wel nen triestigen boel geweest zijn, al vraag ik mij serieus af voor wie. ’t Is per toeval da ’k over heel d’ affaire dagen later meer gelezen heb in een ouwe gazet, want normaal lees ik geen gazetten. ’k Zit alleen in La Luna bij ’t zoveelste citroenjeneverke en ’k weet met heel dat dom lijf van mij genen blijf. Totda ’k daar *’t Laatste Nieuws* zie liggen.

Vaders zijn gevaarlijker dan moeders. ’t Zijn en ’t blijven wilde beesten. De schellen vallen mij eindelijk van d’ ogen. Eén momentje niet genoeg bij de pinken en 't kan gedaan zijn. Mijne pa heeft met zijn jachtgeweer een heel stuk van Bruno zijn wezen tot prut geschoten. 't Moet nog van redelijk dichtbij geweest zijn ook, volgens de gazet. En toch gaan lopen, hé! D'r lag een bloedspoor van in 't huis tot tweehonderd meters verder, op de plek waar dat ie gecrepeerd is, erger dan ne stratier. Overal bloed! Precies lijk dat ie nog ne laatste keer de weg had willen wijzen, met zijn eigen bloed, bloed dat d'r nooit meer uit gaat als ge d'r niet rap bij zijt.

'k Ben óók bestendig kapot willen gaan in de dagen die volgden. En nu nog vraag ik mij soms af of dat we 'kut' niet beter, lijk in 't Engels, met een c aan 't begin zouden schrijven. Lijk als ze ne film draaien: cut, afgelopen, gedaan; voorlopig toch! En dat 't dan overal stil wordt. Maar 't wordt in mijne kop nooit meer stil. Ze zijn daar nog altijd aan 't draaien. En hier vanonder, waar 't begin en 't einde ligt, is 't al sedert mijn plechtige communie niet meer stil.

Hetgeen waar dat ik nu van spreek, dat moet een maand of drie geleden zijn. 'k Ben d'r eigenlijk den tel wat bij kwijtgeraakt. Intussen ben ik wel zonder veel tamtam negentien geworden. 'k Leef van 't bestaansminimum, van wa 'k hier of daar bijeenscharrel en natuurlijk ook van de chocola en de citroenjeneverkes. Naar mijn ma wil ik niet. Die kan ik nog altijd niet rieken of zien. Een volledige maand, of toch daaromtrent, ben ik weer ellendig ziek geweest. Lijk in mijn puberteit: dagenlang op de canapé, zelfs niet meer naar MTV kijken, niet willen eten, en genen enen docteur die weet what the fuck d'r scheelt.

De laatsten tijd ben ik dan weer fameus beginnen boemelen. Om met heel mijn bestaansminimum al mijn verdriet klein te krijgen. Om met mijn ogen en mijn oren, mijn armen en mijn darmen, mijn benen en mijn tenen dat één, dat formidabel lijf te kunnen vergeten. 'k Peins pertanks da 'k het niet kan vergeten en 'k vraag mij ook af of ik dat wel wil. Heel dikwijls ga 'k nog voor de schoenwinkels staan en nog altijd ga 'k niet naar binnen.

Wel weet ik nu waar dat mijne pa woont, allez, toch in welk nen stad: drie sterren in de groene *Michelin*. Goesting om d'r naartoe te trekken heb ik niet, maar 'k ga dat aan niemand zijn neus hangen, waar dat ie woont. Hij is en blijft van mij. Curieus is dat, dat ge de moordenaar van wie ge gaarne gezien hebt en nog gaarne ziet, ondanks zijn klotestreek, gaarne kunt blijven zien. Maar ook Bruno blijft van mij, Bruno die 'k nu 'Bruno' noem lijk dat er nooit nen anderen naam bij hem gepast heeft. Dat is een van de grote voordelen als 't er iemand dood is, dat ge kunt zeggen dat ie van u is en hoe dat ie heet, zo lange lijk dat het u uitkomt. Akkoord, misschiens niet tot in d' eeuwigheid amen, dat niet. D'ailleurs, Bruno en ik, wij wisten dat maar al te goed. Eeuwigheid, dat is iets dat niet te lang mag aanslepen.

't Is maar da 'k nu iedere nacht met de poepers zit. De keren da 'k alleen ben, krijg ik ze hoe langer hoe meer op bezoek, mijn kut. Ze lacht mij niet meer vierkantig uit, maar 't is ook niet dat ze nog nen serieuzen babbel met mij wil doen. Nee, ze laat mij al haar tanden zien, vlak boven 't toppeke van mijn neus. Precies ne vampier. Lijk dat ze bloed riekt. Lijk dat we weer bij 't begin zijn en lijk dat ze weer maar één ding wil: mij heeltegans opeten. En hoewel da 'k ze niet kan missen en hoewel dat er in heel de wereld niets belangrijker is, moet ik toch naar 't venster vluchten en naar de sterren, lijk da 'k zou willen roepen: 'Mémeetje, kom, help mij nu toch.' Maar als 't er al sterren zijn, d'r staat er geen één aan den hemel die Mémeetje heet. 'k Hang daar misschien een uur of langer naar buiten te gapen en omkijken durf ik niet. 'k Hoor ze zoeven tegen 't plafond en rond de luster, rapper en rapper, zot van colère.

En dan, lijk da 'k zeg, na een uurke of langer, is ze godzijdank weer afgekoeld. Maar 't is dan nog niet gedaan. Dan begint dat lamlendig geprakkizeer over hoe 't komt da 'k besta: 't resultaat van den een of den anderen fabuleuzen Lotto in 't heelal, die d'rvoor gezorgd heeft dat 't simpelste zaadje van mijne pa, misschiens van pure verveling, beginnen aan te pappen is met de stomste trut onder mijn ma haar eicellen. Da 'k dus evengoed niet had kunnen bestaan. En dat dat misschiens veel beter was geweest.

En nog is 't dan niet gedaan. 'k Slaap een paar uurkes. Als 't tegen te zessen aangaat, schiet ik lijk ne weerlicht wakker. Beneden in de straat hoor ik ons camionetje stoppen. Bruno stapt uit, komt naar boven en zegt dat ie zo zijn connecties heeft en dat 't – nu of nooit – 't moment is. En ik wil wel met hem weggaan en ik zal wel met hem weggaan. Tuurlijk dat, tamelijk voorgoed zelfs. Maar niet naar Gent of Brussel, niet naar Veurne of Leuven. Naar 't einde van de wereld.

Woordenlijst

Bij *Fijne koppen*

sooien: centen, geld
farcen: fratsen, *maar ook* moppen
pertanks: nochtans
met de poepers zitten: erg bang zijn
colère: woede
smoutebollen: oliebollen
staande wip: mast waarop mikvogels en dergelijke worden geplaatst om daar met een handboog naar te schieten
puitonnozel van verdriet: dolzinnig van verdriet
filou: ondeugende kerel
ramasseren: samenrapen, verzamelen
Duitse schepers: Duitse herdershonden
défaut: gebrek
in de patatten zijn: dronken zijn
marbels: knikkers
seute: flauwe trut
koterhaak: pook
tellore: bord
altemets: soms
boemelkonte: feestnummer, losbandige vrouw

oppergaai: hoofdgaai (hoogste vogel op de wip)
ambras: herrie
binst: terwijl
dutske: sukkeltje
vooizekes: deuntjes
dat was wel mijnen tand: dat was iets waar ik zin in had
zwanzen: onzin vertellen
zo gezond lijk nen bliek: kerngezond
foutu: om zeep, naar de vaantjes

Bij *De Madonna met de Blote Konte*

pépés: opa's
mémés: oma's
klappen: praten
blauwvoet: stormmeeuw, zilvermeeuw
Vliegt de blauwvoet, storm op zee:
aan Rodenbach ontleende zinspreuk,
wachtwoord van de Vlaamse nationalisten
tsjaffelen: struikelen
plaaster: gips
ieverans: ergens
schribbelke: schrammetje
commère: kletskous
keppe: oogappel, lieveling
klapke: babbeltje, praatje
occasie: tweedehands artikel
bijou: juweel
alteratie: ontsteltenis
felte: felheid
sacoche: handtas

vuilemuile: iemand die geen blad voor de mond neemt
vermassacreren: vernielen
tootje: zoentje

Bij *Marion*

rond de pot draaien: ergens omheen draaien
ribbedebie: foetsie
een kot in de nacht: diep in de nacht
placeren: plaatsen
de monument: volksetymologische uitdrukking voor 'het moment'
shotten: trappen
savatten: pantoffels
pardaf: recht
cendrier: asbak
stoefen: opscheppen
dieperik: afgrond
parlesanten: redetwisten
pierewiet: grappenmaker
scheteprote: schatje
pielelamp: zaklamp
comptoir: kassa
opfretten: opvreten
marchandise: koopwaar
verschot: schrik
saluutjes: tot ziens
bimbo: blonde vamp
boefen: vreten
stratier (spreek uit 'stratjee'): straathond
camionetje: bestelwagentje

Andere titels van Luuk Gruwez bij De Arbeiderspers:

Onder vier ogen (1992; proza, Siamees dagboek met Eriek Verpale)
Het bal van Opa Bing (1994; proza, Geertjan Lubberhuizenprijs 1994)
Vuile manieren (1995; poëzie, Hugues C. Pernathprijs 1995)
Bandeloze gedichten (1996; poëzie)
Het land van de wangen (1998; Privé-domein)
Slechte gedachten (1999; proza)
Dieven en geliefden (2001; poëzie)